南米レストランの

人

海を越えて沖縄へ
日系家族のかたいつながり

漢那朝子

ボーダーインク

はじめに

南米ベネズエラの片田舎、元夫の故郷へクリスマス休暇で行っていたときのことだ。街にサーカスが来るという。もう、いまから三十数年も前のこと。当時、緑豊かで美しい街だったが、これといった娯楽施設はなかった。義理妹の子どもたちや息子は「サーカスだ、サーカスが来る。ねぇ、連れて行ってよ」とせがむ。気乗りしないまま皆を引きつけて見に行ってみた。

今日、サーカスといえば「ボリショイ・サーカス」や「シルク・ドゥ・ソレイユ」のような芸術性の高いエンターテインメントだが、当時のそれは、色あせた天幕と動くたびにギシギシと揺れ動くベンチ。フェデリコ・フェリーニの映画「道」を彷彿とさせていた。くたびれた衣装のピエロが登場し、ジャグリングや綱渡りなどの演技に子どもたちは、時折声を張りあげながら興奮していた。そうしたなかで、鉄棒を見事にこなしているアジア系の小柄な男の人がいた。歳は四十歳前後だろうか。

「いまの見事な演技はセニョール・ヨナミネです。盛大なる拍手をお送りください」

こう紹介されていた。日本人だ、いやヨナミネは沖縄の姓ではないか。よく見ると眉が太く確かにウチナーンチュの特徴を見ることができた。

どこの国か忘れたが、このサーカス団は南米を巡回している一座だった。なぜ、沖縄の人がサーカス団に加わっているのだろうか。どういった事情で入団することになったのだろうか。おそらく日系二世または三世だろう。私は、子どもたちと一緒にサーカスを楽しむどころか、セニョール・ヨナミネの姿が脳裏に焼きついて離れなかった。なぜか後ろめたくて楽屋に行って彼を訪ねることもしなかった。

そもそもベネズエラにいる日本人は、企業の駐在員か小売業を営んでいる方々が大半だ。ペルーの社会情勢が悪く、ベネズエラに移住してきた家族を唯一知っていたくらいだった。

私の両親の生まれ故郷は沖縄。工作機械のエンジニアだった父は、戦前に台湾の高等専門学校を卒業したが、沖縄には仕事がなく東京で就職。その後、結婚相手を沖縄から呼び寄せ、そのまま東京・茨城・横浜へ移住し、沖縄には旅行でしか戻ることはなかった。

私が小学三、四年くらいの頃だったと思う。アルゼンチンから横浜の自宅に訪ねてきた年配のご夫婦がいた。父の叔父夫婦だった。白髪のお金持ちの人、と子どもながら思い込んでいた。このときに撮った写真が残っている。それより父がお土産にもらったえんじ色の分厚いカーディガンを忘れることができない。前身頃に縄編みが入った当時の日本にはないモダンなものだった。ただ、アルゼンチン人のサイズとあって袖丈が長い。小柄な父は何重にも袖口を折り曲げて着ていた。「なんか、おかしいね」と私たち姉妹は笑っていた。

一九五〇年代後半、アルゼンチンのＧＤＰはまだ日本より高かった。セーターの品質もかなりよかったとみえ、そのカーディガンは四十年以上過ぎても冬になると登場していた。最後は、袖口が擦り切れたため、母が袖を切り落としてベストにしていた。私も寒いときには、暖かいこのベストを拝借して着ていた。

また、同じ時期だと思う。ロサンゼルスに移住した祖母の友人も、我が家に訪ねてきたことがあった。戦後、沖縄からアメリカに渡った人である。小さな帽子をちょこんと頭にのせて、背の高い人だったので外人だと思っていた。この方から何回かクリスマスに送られてくるのが、ピンクと赤のストライプのド派手な箱。このなかに、ぎっしりと色とりどりのキャンディが入っていた。ところがこのキャンディ、私たち姉妹にとって「薬くさい」と人気がなかった。すべてを食べ終わるまで数カ月かかっていた。

こうして、沖縄から海外移住した人たちの印象は、私にとって華やかな存在でしかなかった。サーカス団で出会ったその人とはまったく逆のイメージしか持っていなかった。

一九八三年、私はベネズエラから日本に帰ってきた。それからは仕事に追われ多忙な日々を送っていたが、移民関係の本を時折読んでいた。そのうち、出稼ぎブームが起こり、多くのブラジル人やペルー人が労働者不足を補うために日本へと帰還してきた。私も数人のペルー人と知り合いになったが、バブルが弾けた後は皆ペルーへと戻って行った。

そして数年前、建築家の息子が東京を引き払って、沖縄に事務所を移した。八歳までベネズエラで育った息子は、はじめて沖縄を訪れたときから、惚れ込んでしまった。中南米料理のレストランが多くあることも彼を喜ばせた。

私もたびたび沖縄に来るようになり、ラテンアメリカがこの島に溶け込んでいるのを強く感じた。日系人は、さまざまなジャンルで活躍しているが、なかでも目についたのが南米料理のレストランだ。

彼らは、なぜ日本に、いや沖縄に来たのか。沖縄での生活は、そしてレストラン経営に至るまでのストーリーを聞きたくなった。取材をお願いすると、皆、多忙でありながら、開店前あるいは開店後に時間を取ってくれた。時折スペイン語、あるいはポルトガル語が飛びだすが、日本語と沖縄方言を織り交ぜながら雄弁に語ってくれた。

そこには、ラテンアメリカと沖縄の共通点や違い、家族の強いつながりが見てとれる。また、カルチャーショックを受け、自分の居場所やアイデンティティーに悩みながらも積極的に前に進もうとする姿があった。彼ら、彼女らに共感を覚えると同時に、少しでも多くの人に、その生きる強さを知ってもらいたいと思う。

沖縄移民、なぜ多い

日本からハワイへの官約移民（政府が正式に認めた移民）が開始されたのが一八八五（明治十八）年だった。それから十四年後の一八九九（明治三十二）年、沖縄県からはじめて二十七人が契約移民としてハワイのサトウキビ畑へ送り出された。その後、沖縄県からの移民は、アメリカ合衆国本土、メキシコ、フィリピン、仏領ニューカレドニアへと広がった。南米へは、一九〇六（明治三十九）年のペルーが最初でブラジル、アルゼンチン、キューバ、ボリビア、チリへと続いた。その他、ジャワやフィジーなど第二次世界大戦前に送り出した国や地域は二十四カ国におよぶ。日本全体では、広島県についで沖縄県が二番目に多い。一九四〇（昭和十五）年の沖縄県国勢調査によると、県民十人に一人が海外に在留していたことになる。これは全国平均の十倍に相当する。まさに沖縄は移民県なのだ。

第二次世界大戦後は、一九四八（昭和二十三）年にアルゼンチンへ三十三人とペルーへ一人が沖縄県から最初に海を渡った。戦後初期はアルゼンチン移民が多く、その後はブラジルがもっとも多い。次いでボリビアだった。

そもそも、沖縄県が多くの移民を送り出した要因には、一つに経済的理由があげられる。人口増加に伴い農地が少なく、農業技術や産業も発達していなかった。そのため働く場がなく、海外へ夢を託した人が多かったというわけだ。

二つには、地割制度が廃止され、土地整理事業が行われたことがあげられる。地割制度とは、十七世紀初頭から三〇〇年間続いた沖縄の土地制度で、農民は一定の土地を割り当てられて土地私有は許されなかった。その上、士族は免税され、農民だけが租税を負担していた。その制度が、一八九九（明治三十二）年から一九〇三（明治三十六）年にわたって、土地整理が行われ、農民の土地私有が認められた。すると、土地に縛られることがなくなり、自由に移動できるようになった。なかには土地を売って、あるいは土地を抵当にお金を借りて渡航費に当てる人もでてきた。

三つには、沖縄は、琉球王国時代に海洋民族として日本や中国、朝鮮などの近隣諸国と外交や貿易を通して繁栄していった。そうした歴史文化を持つ沖縄県人は、独立心が強く、海外への移住には、大きな抵抗がなかったといえる。

もう一つ、初期の移民のなかには、徴兵を免れるために親や本人が望んだ場合もあった。これは、第二次世界大戦終了後の調査で浮かび上がった要因である。

戦後においては、琉球政府による移住政策の推進があって、アメリカ統治下で土地を接収された人や戦禍の荒廃に落胆して親類縁者を頼って海を渡った人、または、商売に成功した親類の呼び寄せで移民した人々が多かった。

沖縄県人の移民の特質は、この親族の絆、つながりが非常に大きい。それが、移民先だけでなく、沖縄に戻ってきた人々にも受け継がれ、世界のウチナーンチュのネットワークを築いている。その例が、一九九〇（平成二）年にスタートして、五年に一回開催される「世界のウチナーンチュ大会」だ。回を追うごとに参加者が増えて、二〇一六（平成二十八）年の第六回大会では、二十九の国・地域から七四〇〇人が来県している。第七回は新型コロナウイルスの感染拡大を受けて、二〇二二年に延期された。

こうした県をあげての活動は他府県でみられない。沖縄という特殊な歴史と文化を背景に世界のウチナーンチュがますます絆を深め、新しい時代の一つの波を起こしてくれることであろう。

ベネズエラ
ガイアナ
スリナム
仏領ギアナ
コロンビア
エクアドル
ペルー
ブラジル
ボリビア
パラグアイ
チリ
ウルグアイ
アルゼンチン

第三章　ブラジル日系人

第一章　アルゼンチン日系人

アルゼンチン移民の歴史

沖縄県人が、最初にアルゼンチンに移住したのは一九〇八（明治四十一）年。笠戸丸で契約移民としてブラジルに渡った人たちが、耕作地を抜け出して転住したのがはじまりだった。沖縄県が直接アルゼンチンへ移民を送り出したのはそれから五年後の一九一三（大正二）年である。

アルゼンチン移民の特徴といえば、すべてが自由移民であること。他の南米諸国と違い、ヨーロッパ系白人社会だ。そのなかで初期の日本人移民は、港湾の荷揚人足、製糖・冷凍肉缶詰・織物などの工場労働者や家庭奉公人などだった。その後、洗濯・染色業、花卉園芸業に従事するようになっていった。沖縄県出身者は、花卉に加えて野菜栽培も盛んに行っていた。『海外在留邦人調査』（一九四〇年外務省の調査）によると、日本人四〇五五人のうち沖縄県人は一八三一人で全体の四五％を占めていた。

戦後、沖縄県からの移民は、一九四八（昭和二十三）年の三十三人からはじまり一九五一年（昭和二十六）の六五三人をピークに減少。そのほとんどが呼び寄せ移民だった。

アルゼンチン人、ブラジル人、沖縄人、日本人でもない根なし草でも、どこの人でもあるのよ

「お客さんと日本語でもスペイン語でもおしゃべりするのが楽しい」と諸見里登代子

アルゼンチン料理
Caminito（カミニート）　沖縄県浦添市勢理客

諸見里 登代子

二世、1955（昭和30）年生まれ

店名の「Caminito（カミニート）」とは、スペイン語で「小道」という意味だ。タンゴ歌手のカルロス・ガルデルが歌った曲として知っている人も多いと思う。店先にはアルゼンチンの水色と白の大きな国旗がはためいている。店内には、タンゴ発祥の地であるボカ地区のカミニートの写真、サッカーナショナルチームの写真など壁一面に飾られている。来店客の写真やサイン色紙もある。そのなかに「島唄」の作詞・作曲者である宮沢和史の写真もあった。

店の奥から穏やかな笑顔でオーナーの諸見里登代子が現れた。

「この写真はね、アルゼンチン日系人の集まりに宮沢さんが来てくれて、そのときに撮ったんですよ」

毎月第三土曜日はアルゼンチンに住んだことのある友人たちが集まって模合[※1]をするそうだ。一人五〇〇円を積み立てて行うが、その日は、お金が貯まっていたので、豚の丸焼きをしようと決

※1　参加者が一定の金額を出し合って、そのお金を一人ずつ順番に受け取っていく、本土でいう無尽または頼母子に似ている。

めていた。

「ちょうどその日一番に来店したお客さんが宮沢さんだったの。今晩、時間があったら来てください、と誘ったんです。そしたら本当にワインを一本持って来てくださった」

島唄は、アルゼンチンの歌手アルフレッド・カセーロが「SHIMAUTA」として日本語でカバーして、アルゼンチンで大ヒットした。そうしたこともあり、宮沢はたびたび「カミニート」を訪れていた。

「宮沢さんは、沖縄のことを沖縄の人よりよく知っていますよ」

RBC（琉球放送）のアナウンサー・仲村美涼や、日系アルゼンチンの歌手・大城クラウディアも来店していた。

「旅行でアルゼンチンに行ったことがあるという人、基地の人、フェイスブックで紹介してくれた人もいて、それからお客さんが増えました。もともとアルゼンチン料理を沖縄の人に食べてもらいたくて、はじめたレストランだけど、有名な方にも来ていただくなんて想像していなかった。週一回しか休みがないので疲れるけれど、お客さんとおしゃべりするのが楽しい。店をオープンしてよかった」と登代子は嬉しそうに話していた。

なぜ東村からアルゼンチンへ

一九六四年、金城一家（登代子の旧姓）九名は、母方の祖父に呼び寄せられてアルゼンチンに渡った。登代子が九歳、小学校二年生のときだ。

「おじいちゃんは玉城福太郎といって琉球舞踊の先生でした。アルゼンチンでは教えるだけでなく、結婚式に呼ばれたりして踊っていました。一時、沖縄に帰って発表会みたいのをやったんですよ。その後かね、自分たちがアルゼンチンに行くと決めたのは。家は東村で、父は役場に勤めていた。母は専業主婦で鶏を飼っていたりしていました。七名兄弟で長男兄さんは那覇の牧志交番で警察官、次男は中城の叔母さんの家に住んで、そこから高校に通学。残りの兄と姉は地元の中学生で弟と私は小学生でした。だから、貧しい暮らしはしていなかったんですよ。なんでアルゼンチンに行ったのかわからない。国の支援があって船で行ったんです。確かさくら丸だったかな」

当時、日本政府は、戦後復興の一環として、中南米五カ国と移住協定を結んでいた。なかでもアルゼンチンとは一番遅く一九六三年に協定している。その一年後に金城一家は移住したのだが、同年には東京オリンピックが開催され、まさに日本は高度成長期の真っただ中。沖縄はというと、まだアメリカの統治下にあった。

水色と白のアルゼンチン国旗を見て、来店するお客さんも多い

壁には「島唄」の宮沢和史さんや来店客やサッカーナショナルチームの写真

こうした背景があったのだが、おそらく狭い沖縄から抜け出し、話に聴く広大なアルゼンチンに思いを馳せての移住だったのだろうか。

一家に襲った突然の不幸

アルゼンチンに着いた一家は、首都ブエノスアイレス郊外のSan Justo（サン・フスト）にある祖父の家に落ち着いた。

「うちのおじいちゃんは、複雑なのよ（笑）。私の母には兄弟がいるが、皆、腹違い。いつ、おじいちゃんが母の弟と一緒に、アルゼンチンに渡ったかは知りません。母は母でまたちょっと複雑で、母の母親、つまり私の祖母になる人に育てられていたのですが、その祖母が再婚してブラジルへ渡ってしまったんですね。それで、私の母は沖縄に残り、母の祖母（登代子の曽祖母）に育てられた。その後、母の母親には父親違いでブラジル生まれの妹が生まれたというわけです」

なんともワイルドな話だ。いったい登代子の叔父と叔母は何人いて、どこの国々に散らばっているのだろうか。話を聞いていると、沖縄の人たちは、いとも簡単に海を超えているように思える。

サン・フストに着いた一家は、下の三名だけスペイン語の読み書きを覚えるために一年間ほど

1970年代前半、母を中心に兄弟と姉妹。自分で編んだミニスカート姿の登代子（右2人目）

民間の塾に通った。地元の学校に入学するには、試験があったからだ。

「兄も私も沖縄のときより一学年下げて、兄は三年生、私は一年生として入学。だから年齢的には自分より下の子が同級生でした。弟はそのまま幼稚園生でした」

小学校は地元の公立校だったが、週末になると、登代子と弟は「Seibu」という日本人学校に通っていた。遠かったので送迎バスに乗って行った。ところが「日本人学校で先生は日本人だけど、説明はすべてスペイン語。おかしいでしょ」と笑う。この日本人学校には三、四年通った。

「現地の小学校では、日本人は自分といとこの二人だけ。自分は頭いいかわからんけど、日本人は頭がいいと、皆から好かれていたね。学校で、沖縄の踊りを一人で踊ったことがあった。アルゼンチンではエンジョイしていましたね」

また、沖縄県人会の市町村対抗運動会というのがあった。東村は人数が少ないので大宜味村と合併して、登代子はいつもリレーに出てアンカーだった。

「アンカーは誰もやりたがらない。皆にどうしてかと聞いたら、『最後で負けたら恥かくでしょ』だって。皆ずるいんだ(笑)」

学生だった三名以外は、叔父や日系人が経営するクリーニング店に勤務した。いずれ資金を貯めて自分たちの店を持つつもりだった。

ところが、不幸が起こった。

「アルゼンチンに行ったのが三月で、その年の十月十五日に父が交通事故で亡くなったんです。父は、日曜大工が得意でした。親戚がクリーニング店を開店するというので、カウンターをつくる手伝いをしにチャリンコで出かけたんですね。その途中で大型バスに跳ねられた。そのときは腰を打ったと聞いていたんですよ。でも内出血していた。すごく痛がっていたけれど、病院はストライキをやっていて、あの国はストをすると患者を診察しない。それではいけないと、町の病院に移したんです。でも手遅れでした。それで亡くなったんです。日本だったら死ぬような怪我ではなかったはず」

その上、跳ねた相手は大きなバス会社の社員。自分たちは個人。結局、双方の弁護士が打ち合わせて弱いものが負けた。

「慰謝料は一円も受け取れなかった。それから母はずいぶんと苦労してね」

それだけに、クリーニング店で働いていた兄弟たちは団結した。数年後には、貯めた資金で店舗を借りて自分たちのクリーニング店を出すまでになっていた。

「おじいちゃんは、おばあちゃんに先立たれて一人で住んでいたので、自分たちはずっとおじいちゃんの家に住んでいた。そこから店に通っていたんですよ。ところが母の弟のお嫁さん、沖縄の人でしたが、すごく意地悪で『なんであんたたちは、おじいちゃんの家に住んでいるね』と妬まれた。また、『はっさ、ネズミみたいに子どもを七名も産んで』などと言われたりして、母はずいぶんと悔しい思いをさせられたさ」

しかし、こんなことはまだいい方だった。このお嫁さんの夫、つまり登代子の伯父は、祖父の家を抵当に入れていたのだ。ある晩、祖父と伯父の二人だけが部屋にこもって話し合いをしていた。その結果、この家を売ることになった。「だから、どんな事情で家を売ることになったかは、二人以外は誰も知らされなかったんですよ」と登代子は悔しそうに語った。そして、家を失った祖父は、登代子たちでなく、長男だった伯父と住むことを選んだ。

繁盛したクリーニング店

こうしたことがあって、いままで借りていたクリーニング店を畳んで、登代子一家は少し離れた地域にお店兼自宅を購入した。

「引っ越した先の店が、それはもう繁盛してね。沖縄では金城を〝きんじょう〟と読むが、あっちでは〝かねしろ〟と言っていたので、兄弟で経営しているから「Kaneshiro hermanos」(かねしろ兄弟)という店名にしていた。母も私もボタンをつけたりして手伝っていたんです」

当時、長男と長女はそれぞれ結婚して家を出ていた。新しい店のすぐ後ろに次男たち兄弟の部屋があって、母親と登代子は一番奥の部屋だった。

「母と私は、毎晩、売上のお金を数えるのが楽しみでね。窓を見たりして『え、誰も見ていないかね』『どこに隠すね』とヒソヒソと話していた(笑)。あっちの人は銀行に預けないじゃないですか。後に沖縄に帰ってきて、母がまだ元気なときに『あっちの部屋ぐゎーで、こんなしたの覚えてる』とお札を数える真似をして二人でよく笑ったものです」

一九七五年、沖縄で国際海洋博覧会が開催された。アルゼンチンに住む同郷の友人二人が沖縄に行くという。登代子の母親も一緒に行きたいと言って、友人三人で沖縄に里帰りした。この頃、すでに三男はアルゼンチンから沖縄に移住していた。

そもそも、七〇年代のアルゼンチンは、不安定な社会情勢であった。ポピュリストのファン・ペロン大統領の支持者であるペロニスタと軍部の間で抗争が続いていた。

ちなみに、ファン・ペロンの妻のエヴァ・ペロンの生涯を描いたミュージカル「エビータ」は、マドンナが演じて世界中に知られるようになり、映画にもなった。

いったんは追放されたペロン大統領だが、一九七三年の選挙で大統領に返り咲いた。しかし、翌年に急死。その後を継いだのはペロン大統領の後妻のイサベル・ペロンだった。だが、三年後にはクーデターが起きて軍事政権が誕生。この政権は、労働組合関係者や左翼、ジャーナリスト、学生を含め、三万人ともいわれる人が拷問や暗殺、行方不明になった。友人と一緒にいただけで連れ去られた日系人もいたという。これは「汚い戦争」と言われ、一九八二年のフォークランド（現地ではマルビーナ）戦争まで続いていた。

1976年沖縄に帰郷する前、祖父を中心に母（右端）と長男家族と兄弟姉妹。登代子（左端）

こうした状況下、

「日に日に、治安が悪化していたので、兄はまだ沖縄にいた母に手紙を書いたんです。『家族全員、沖縄に引き揚げるから、母さんはそのまま沖縄にいて』と。一緒に旅行していた母の友人二名はアルゼンチンに戻ってきたが、母はそのまま沖縄に残っていた。そして、そのすぐ後に長男兄さん家族と私のすぐ上の兄さんは父の遺骨を持って沖縄に引き上げてきたのです」

長女の家族は、まだアルゼンチンに残っていた。次男と登代子と弟も、まだアルゼンチンにいた。というのも、当時、未成年だった登代子と弟は、母親の承諾がないと出国できなかったのだ。

「母と次男兄さんが、承諾証のやり取りをしている間に、航空チケットがボンと膨れ上がってしまった。一晩で倍になるようなひどいインフレでね。その後、どうにか承諾証を手に入れ、最後にクリーニング店の権利を売って引き揚げたんです」

一九七六年、このとき登代子は二十歳になっていた。

その後、姉家族も沖縄に戻り、金城一家は全員アルゼンチンから引き揚げたことになる。

「タイミング的には、沖縄に戻ってきてよかったと思いますよ。自分たちは、クリーニング店が成功していたから沖縄に帰れて幸運でした」

知人の紹介で仕事に就く

先に沖縄に戻っていた長男家族が東村に一軒家を借りていた。まずは、皆、長男宅にたどり着いた。

「ブエノスアイレスの都会から行ったでしょ。東村は虫の鳴き声しか聞こえない。海が近かったので、着いた翌日から私は『なんでこんなところに来たね』とワーワー泣いていたさ（笑）」

兄たちは、同級生がいたし、東村をよく覚えているので、それほど違和感はなかった。しかし、登代子にとっては、九歳でこの地を離れていたので何も覚えていない。清明祭[※2]で父親のお墓参りに行ったとき、「外国に行った金城さんでしょ」と言われた。でも誰だかわかない。「ごめんね。私、頭悪いから覚えてないよ」と言った。移住する直前まで遊んでいた幼なじみしか覚えていなかった。

やがて、浦添に六畳二間の小さなアパートを借りることができた。

「一部屋は母と私。その頃、弟は住み込みで働いていたので兄三名がもう一つの部屋で寝ていた。後から弟も来て男四名は、もう雑魚寝。合計六名がその家に住んでいたんです。最初は、近所に住んでいる親戚や東村出身の人からテーブルや台所用品などをもらって生活していました」

アルゼンチンと比較すると狭苦しい家ではあるが、一家にぎやかに沖縄での生活基盤を築こうとしていた。登代子は、パン工場で働き先を見つけたが、一日で辞めてしまった。

「いま考えるとバカバカしいけれど、アルゼンチンにいたときのように、きれいに赤いマニキュアを塗って出勤したのよ。そしたら、『食べ物を扱っているから、マニキュアはダメ。明日

※2　旧暦の三月頃に行われる沖縄の墓参り。親族が墓に集まり、花や重箱料理をお供えして先祖を供養。

からちゃんと爪を切ってきてね』と言われたんです。でも、私としてはどうしてか、わからなかったので、翌日はもう行かなかったさ」

辞めたもう一つの理由は、パン工場は平日が休みで週末は働く。「友だちにも会えないし、遊びにも行けないから」とのことだった。浦添には、日系人の友人が何人もいた。

「結局、自分たちより数年前にアルゼンチンから戻っていた東村出身の友だちがいて、その親類が経営している工場に『空きができたから、どうね』と声をかけられたのです」

建築関係の資材を製造する会社で、登代子の仕事は部品を磨くことだった。この会社には、三十年間勤めることとなった。

その後、この会社に四男、次男、弟と次々と勤務するようになった。次男は、工場長として定年まで勤めた。弟は、定年を過ぎたいまも、まだ働いている。しかし、四男は、数年で辞めている。それは、機械を調整して釘をピカピカに磨きあげ、社長が感心していたが、班長は自分の手柄にしたという。また、女子社員で勤務中に髪を染めていたので、上司に言うと「そんな小さいことをいちいち言うな」と逆に怒られた。こうした納得できないことが積み重なり、会社が嫌になったのだ。

「私もいろいろありましたよ。でも、紹介されて入社したのにちゃんとやらないと相手の顔を汚す、ということを母から教えられていたのでね。それと私、機械をいじるのが好きだったの。いま、爪はきれいだけど、当時はグリースで真っ黒だった。人前ではこうして隠していたのよ」と指を折り曲げて軽く腕組みをした。また、「私より後に入って、よくサボるのに私より給料が高い人がいたさ。ずっと後で知ったことだけれど、日系人の給料は、ここの人より安かったんですよ」

会社に馴染めなかった真面目な夫

登代子は二十七歳のときに結婚した。夫になる人、諸見里は沖縄生まれで移民としてブラジルに渡った人だった。日系人のグループがあって、週末に集まっては、ディスコに行ったりしているうちに親しくなった。そして結婚した。

「旦那は、ブラジル日系でしたからポルトガル語。私はスペイン語。自然と自分たちの会話は日本語になったね。お互い、あっちにいたときの話なんかして楽しかったさ。二十三歳くらいのとき、お見合いの話があったけど、結婚したらやんばるに行かなきゃならなかった。『ノー、まだ結婚する気にならない。いまが楽しいから』と断ったね。当時、沖縄の人とは結婚できなかったと思いますよ。通じ合うものがなかったもの」

その後、登代子が勤めていた会社に空きができたので、夫も入社した。

当時、金城一家は以前の六畳二間のアパートからもう少し大きなアパートに引っ越していた。会社に近いこともあり、諸見里夫婦は、二階にある金城家の三階に住むようになった。

「旦那は、植物が好きで、ホームセンターに行っては苗を買ってきて育てていた。喘息だったからタバコは吸わず、お酒も飲まなかった。ビールもじんま疹が出るので飲めなかった。だから、『あいつは付き合いが悪い。気に食わない』という同僚がいてね。たまに、無理して飲んできては家で吐いていましたよ。かわいそうに」

同じ会社で、義理の兄弟が工場長、もう一人は営業課長。だが、登代子の夫は一労働者で、自分の部署が暇なときは、他の部署に応援に行かされていた。どの部署に行っても、片言の日本語しか話さない彼は、煙たがられていたらしい。

「私が胆石の手術をして、会社を休んでいたときにね。旦那が勤務時間であるはずの五時前に帰ってきたんですよ。どうしてかと聞くと、同僚に安全靴で両足を蹴られたと。私は、旦那を引っ張って会社まで行った。そしたら、若い子がいて『職場から離れていたから蹴ったんだ』と。その子とは親子の年齢差ですよ。『旦那が離れたのは悪い、でもあんたの方がもっと悪いよ』と言ってやったさ」

翌日、痛みがひどくなり、立つことすらできなかった。病院に行ったが夫は「友だちの手伝いをして、物が落ちて怪我をした」と説明していたのだ。

「私は蹴った子に治療費を払ってもらいたかったけれど、兄と弟と働いているでしょ。会社側の立場との板挟みになってね。そのまま泣き寝入りですよ」

ところが、その若い子は、偶然にもいま住んでいるアパートの大家さんと知り合いで、その子の家も近かった。登代子は、街中で二回ほどその子を見た。

「今度会ったときはね、旦那に対して何やったか覚えているか、本当は警察に出してもいいくらい。あんたから慰謝料貰わんといけないさ。私は絶対に許さんからね。だから私の目の前から消えてよ。こう言おうと思っている」と怒りを込めて語った。

「沖縄の人でも本土の人でも南米帰りだからとバカにすることがあるね。私の上司は『あんたの旦那はあれこれ……』といつも愚痴を私に言ってくるさ。一度は『工場に入ったら夫婦は関係ない。言いたいことがあったら、直接言ってください』。また、『ああ、そうね。辞めさせたければ辞めさせたらいい。その代わり自分もやめる。二人の給料を合わせてもあんたの給料より低いんですよ』とね。それから、私が子宮筋腫で手術をして、薬の副作用ですごく太っていたときがあったの。そしたら、『ええ、あれのお尻見てごらん』と事務所にいた人に言っていた」

それを小耳に挟んだ登代子は、黙っていなかった。

「お尻が大きいとかデブとか言ったが、あんたにおんぶされているか？ あんたの奥さんもデブでしょ。人の心配をするより自分の奥さんのことを心配したらいいですよ」

言わないと気が済まない登代子だ。夫のことなどもあり、次第に仕事に行くのが苦痛になってきていた。

そうしたなか、会社が浦添から西原に移転することになった。車がないと通勤できない。ところが会社側は、登代子は継続して雇うが「旦那はもういい。あんたは旦那に送り迎えしてもらったらいい」と言った。

「そんなこと旦那に言えますか。このとき決めました。旦那と一緒に私も辞めると。会社側は、本当は私に残って欲しかったんですよ。私、一生懸命仕事していましたから」

こんなことがあって、ちょうど三十年間勤めた会社を辞めた。そして、二人で話していた。

「一年間は失業保険をもらえるし、退職金も会社の都合だからすぐもらえる。そしたら、アルゼンチンとブラジルに旅行して、帰ってきて何をするか考えようね」

二人が会社を辞めたのは八月。ところが、夫の様子がだんだんおかしくなってきた。「妻は自分で辞めたが、自分は首になったのだ」ということが彼に重くのしかかっていたようだ。だんだん鬱になって、誰とも会おうとしなくなった。

「心療内科に行こうか」

「僕、入院しない」

「だったら、いいよ。あんたの好きにしたらいいさ」

こんな会話をして病院には行かなかった。たまに、彼の兄と母親が心配して、実家に連れて行っていた。ある日曜日、登代子は、夫を迎えに行く予定だったが、遅くなってしまった。

「遅くなったから明日の朝一番で行くね。ごめんね」

「ううん、大丈夫だよ。明日ね、じゃあね」

それが二人の最後の会話となった。その一時間後、いとこから電話がかかってきた。

「登代子姉さん、落ち着いて聞いてよ。勉兄ちゃんがさ、徳洲会病院に運ばれたのよ。今から迎えに行くから準備しておいてね」

登代子はもうカバンに何を入れたかわからなかった。病院に着いても夫には会わせてもらえなかった。刑事に呼ばれて生命保険に入っていたかなど、いろいろ聞かれた。

結局、夫は母親と散歩に行こうとドアを出たが、肌寒かったので母親がまた家のなかに戻って

登代子たちが住んでいた祖父の家

上着を取りに行った。その間に四階と五階の踊り場から飛び降りたのだ。

「即死だったみたい。忘れもしない二〇〇七年十二月十六日だね」

お互いの故郷であるアルゼンチンとブラジルへの旅は、かなわなかった。

「行くと決めていたけど、旦那を亡くして行く気がしなくなったの」

すると、二人の娘たちが「計画をしていたのに行かなかったら、お父さん怒るよ、悲しむよ」と逆に怒られた。

「行ったらいいよ。お父さん喜ぶから」

こうして二〇〇八年、ちょうどブラジル・アルゼンチン移民一〇〇周年のときに、次女と弟と姪っ子の四名でブラジル・サンパウロへ向かった。夫の小さな写真を持って、ブラジルに渡った母親の母（登代子の祖母）のお墓参りもした。サンパウロでは弟嫁の叔父の家に三日間お世話になった。

そして、登代子は沖縄に来てからはじめて第二の故郷、アルゼンチンへ帰ったのだ。

「以前住んでいたおじいちゃんの家に行ってみたんです。あの当時は大きな家のイメージだったんですよ。敷地は幅一〇メートルで奥行き三〇メートルあった。表に住宅があって奥に庭があってね。だけど、家はリフォームされて『売り』の看板が出ていました。ちょっと寂しかった」

また、向かいに住んでいた父親が医者の弟の友だちにも会うことができた。「こんな小さかったのに」とすっかりおじさんになっていたが、「面影が残っていて、懐かしかった」。

レストランへの夢を叶える

以前から、登代子は、義理妹と「アルゼンチン料理の店をやりたいね」と話していた。夫が亡くなり、旅行から戻ってきて、義理姉と二人で店舗を探しはじめた。そして、いまの店を見つけた。内装は兄弟や友だちが毎日のように駆けつけてくれて手伝ってくれた。アルゼンチンやサッカーの小物もかき集めてくれた。ただ、お料理は二人ともまったくのシロート。

2008年アルゼンチン旅行。国会議事堂前

アルゼンチン旅行で日系人の友人たちと。登代子（右下）

「私の母は、アルゼンチンに行った当初は沖縄料理ばかり。チャンプルーとかにんじんシリシリとかね。でも、徐々に現地の料理が多くなっていたね。私が、料理好きになったのは、母がお弁当をつくるのをいつもそばで見ていたから。そのお弁当を兄さんたちが働いているクリーニング店に届けて、そこから私は学校に行っていたの。沖縄に来てからも結婚するまで母の手伝いをしていた。私とは反対に姉はお料理に興味なかったですね」

しかし、料理が得意とはいえ「人に出すものだからそれでいいのか」とかなり不安だった。すると、日系アルゼンチンの友人が、エンパナーダの生地の作り方などアドバイスしてくれた。もともとエンパナーダの生地は、売っていたので家庭ではつくっていなかった。

さらに当初は、エンパナーダはバターで揚げていた。しかし、重くて胃もたれするから変えた方がいいと友人が助言してくれ、ラードにした。中の具には、お肉とゆで卵を入れていたが、日持ちがしないと言われ、肉と玉ねぎだけにした。チーズは、低コレステロールのものを使用するようになった。

「こうして、日本にある材料で試行錯誤のすえ、いまのエンパナーダになったのです。人の意見は、素直に聞くもんですね。お客さんからオレガノが効いてすごくおいしいと言われています」

皆の協力があって二〇〇九年二月、「カミニート」はオープンした。当初、義理の妹と一緒に

「カミニート」の名物のエンパナーダは、ミート、チキン、
チーズの3種類あり、形によって区別

母の信子98歳

やっていたが、いまは登代子一人で経営している。

「いままでよく持っているね（笑）。ここにくるまで苦しいときもありましたよ。赤字で自分のお金をどれだけ入れたかわからない。利益があるかないかのときもあるけれど、二、三年前からは自分のポケットマネーを出さなくてもやっていけるようになった。それに、いろんな人と会えるから楽しい。お店をやっていてよかった」

残念に思うことは「旦那が生きていたら、この店でお客さんとおしゃべりしていたでしょうね。二人の年金で生活面でも楽だったさ。だから、会社で意地悪した人を絶対に許さない。その人たちが来たら、来ないと思うけれど塩をまいてやろうと思う」。

いま気になっているのは、三十歳を超えた娘二人が結婚していないことだという。

「私は、杖ついてまで孫の面倒を見ないよ、と冗談で言っている（笑）」

最後に言っていた。

「ここに来て、いろいろなことがあったけれど、沖縄の人は困っているとすぐ助けてくれますね。でも皆、『外国で暮らした人は、幸せにいい暮らししてきたはずね』と思っているみたい。そうでもないんですよ。自分は、アルゼンチン人でもブラジル人でも沖縄人でも日本人でもない根なし草。でも、どこの国の人でもあるんですよ」

アルゼンチン、ヨーロッパ、沖縄
すべてをチャンプルーした
オリジナル料理をつくりたい

笑顔がチャーミングなミリアン

沖縄・アルゼンチン料理

ヤンバル食堂　沖縄県名護市宮里

比嘉 ミリアン

三世、1968（昭和43）年生まれ

那覇から本島北部に貫く国道58号。名護市にある「ヤンバル食堂」は、その国道に面してひときわ大きな看板を掲げている。駐車場も大きく繁盛店であることは一目でわかる。そんな店で、料理長をしているのが、日系三世の比嘉ミリアンだ。

夜の九時、閉店間際に訪れると、厨房から「すみません、少しお待ちくださいね」と元気な声が聞こえてきた。待つ間にメニューを見て、その数の多さに驚いた。生姜焼き定食やとんかつ定食など、どこにでもあるメニュー。沖縄ならでの豆腐チャンプルーや麩チャンプルー、ラフテー丼や軟骨ソーキそばもある。そこにアルゼンチン料理のエンパナーダが加わっている。ざっと数えて……。

ミリアンが手を拭きながら出てきた。

「はい、三十二料理あります。調理人は息子と私の二名、あと受付と炊事場で合計四名。これだけで回しているんですよ。スタジアムに近いので、多いときには二〇〇名を超えるくらいの来店客があります」

海岸に面した「21世紀の森公園」にあるこのスタジアムは、日本ハムファイターズが春季キャ

国道58号に面してひときわ目立つ店舗

食券・セルフサービスの「ヤンバル食堂」はいつも満席（閉店後の写真）

ンプ場として使っている。その他、この公園にはサッカー・ラグビー場や野外ステージもあり、休日は大勢の人で溢れかえる。国道に面しただけでなく、こうした絶好の地にあるのが「ヤンバル食堂」だ。ミリアンはここで働くまでの波乱万丈なストーリーを楽しげに滑らかな日本語で語ってくれた。

母方の家族とともに育つ

「私の母方の祖父母は、戦後すぐにブエノスアイレスに渡ったそうです。そこで母が生まれました。私の父は、沖縄の与那城村の出身。いつ渡ったかはわかりませんが、同じ村の知人を頼ってアルゼンチンに来たと聞いています。そこで母と出会って結婚、私が生まれたのです」

偶然だが、ミリアンの祖母の出身地である平安座島（へんざじま）は、本島の与勝半島にある与那城村に含まれていた。現在はうるま市となって海の上を走る「海中道路」でつながっている。

母親は、夫となる人が自分の母と同じ郷里だという親近感もあって、お互い惹かれたようだった。だが、ミリアンが八歳のとき、両親は離婚。そして父親は、妻と娘を残して一人沖縄に帰ってしまった。

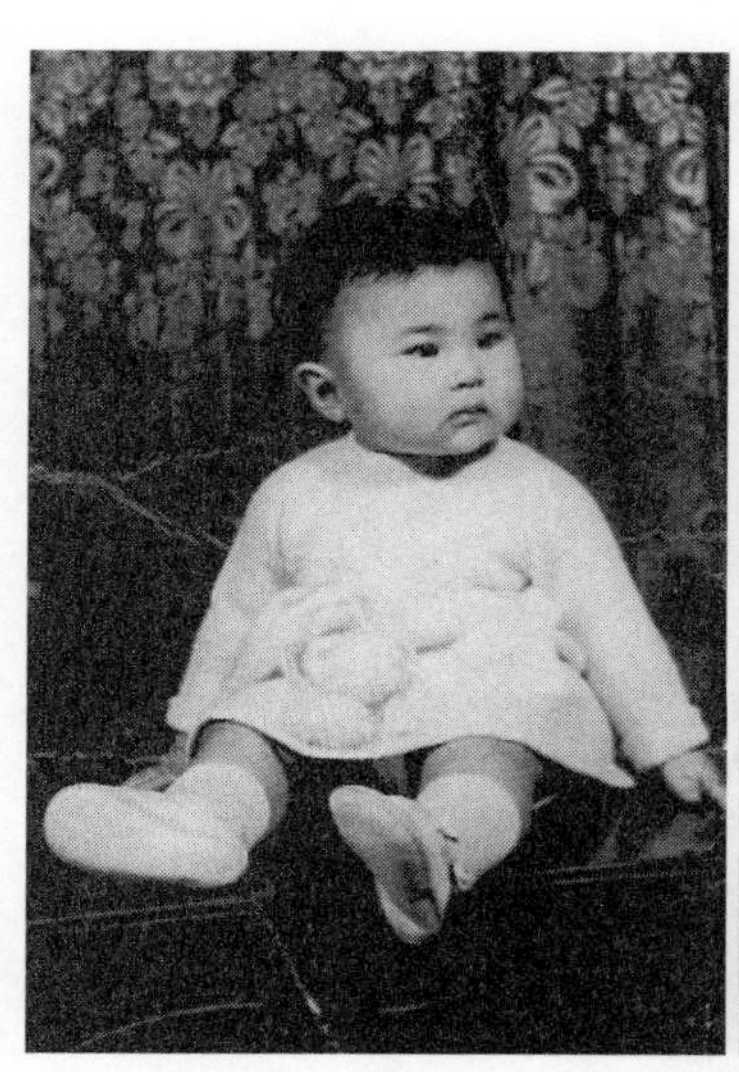

（左）生後6カ月のミリアン　（右）「お出かけするの」と3歳のミリアン

「どうして離婚したかは聞いていません。母はアルゼンチンで生まれ育って、一度も沖縄に行ったことはありませんでした。家では、祖父母や伯母さんとはウチナーグチで話していましたが、生粋の沖縄の人とは違っていたんでしょうね。いまの私と似ているかな。そんなわけで、父とはカルチャーの違いもあって、うまくいかなかったのかなと思っています」

結局、ミリアンはクリーニング店を経営していた母方の家族と一緒に育った。クリーニング店は繁盛していた。

「それっきり、父とは会っていませんでした。それが、高校を卒業した翌年、沖縄に一時帰国していた父親の親戚から、お父さんから預かったとお小遣いをもらったんです。これはチャンスだ、と思って沖縄に行こうと決めたのです」

実は、一人っ子のミリアンは、祖父母や母親からかなり厳しく育てられた。子どもの頃からわんぱくで、言い出したらきかなかった。一四、五歳くらいになるとダメだと言われれば言われるほど反抗していた。高校は工業高校だったが、授業を半分以上はサボっていた。ディスコに行って朝方に帰宅することを繰り返していた。その度に母親は猛烈に怒っていたが、それにも反発していたという。

「まったく、不良少女でしたね（笑）。だけど、高校の途中から、これではいけないと自分でも思ったんですね。どうにか民間の塾のようなところに通って、試験に合格して卒業資格を得たのです。随分と母に心配をかけていました」

ミリアンが高校を卒業する前に祖父が亡くなった。その後、祖母はいままで以上に口うるさくなった。

「だから、母だけでなく、おばあちゃんとも仲良くなかったです。私の彼氏も友だちも、皆、現地の人でしょ。それが気に入らなくて、揉めに揉めて。だって、現地の学校に行っているのだから、当然ですよね。だから、母親たちから逃れたい、アルゼンチンから出たい。自由になりた

小学4年生のときに先生と

いという思いが強くて沖縄に行こうと思ったのです」

しかし、いつも自由奔放、勝手気ままに行動しているミリアンに対して、「沖縄に行っても二週間はもたないだろう」「あなたにできるわけがない」と周囲の人たちは口々に言っていた。

もっとも、ミリアンは日本や沖縄に関しても自分のルーツにもまったく無関心だった。母親は、二世とはいえ社交的でよく沖縄県人会に行っていた。また、ミリアンの従姉妹もそういった会によく参加していて、よくミリアンと比較されていたのだ。一度は沖縄県人会の運動会に、ミリアンも連れて行かれたことがあった。そこでは、平安座島グループとか与那城グループとか地域ごとにグループをつくって競っていた。だが、彼女にはそれが何のことか、地名なのか、人の名前なのかもわからなかった。

「私にとって別世界の感覚でしたね」

こんなミリアンを家族はよく知っていた。「沖縄に行ってもすぐ戻る」と言われても無理からぬことだった。

ところが、負けん気の強い彼女は密かに思っていた。

「皆にそう言われたことが、私のバネになったんですよね。よし、二年間でパーフェクトに日本語をマスターしよう。祖父母や母が日本語を話しているのを聞いているし、言葉はなんとか理

中学生のミリアンと母親と

解できる。沖縄に行ってもお大丈夫。それにお父さんにも会えるんだから」

こうして一人、何も持たずに沖縄へと旅立った。一九八九年、ミリアンは十九歳だった。

この頃、すでに日本では南米のデカセギブームがはじまっていて、アルゼンチンから沖縄に戻ってきた日系人としては遅い方だった。一九九〇年に入国管理法が改正され、それ以降日本は、日系人なかでも日系ブラジル人のデカセギが急激に増えた時期だった。

いざ沖縄に来てみると

「沖縄に来て、はじめて知ったのです。父は再婚していたことを。しかもですよ、父の奥さんは私の存在を知らなかったのです。笑えるでしょ」

こう言ってミリアンはおかしそうに笑った。幸い、父の再婚者は温厚な人だった。

「多分、奥さまは、知り合いの子がウチに来たという感覚だったのじゃないのかな。でも、いま思うと、あの頃、父たちが何を喋っているかわからなくてよかったと思います。きっと、全部わかっていたら……（笑）」

父親の再婚者は沖縄の人だったが、祖父母や母が話していたウチナーグチと違っていた。

「私は、てっきり母たちが話していた言葉、つまりウチナーグチが標準語だと思い込んでいたのですね。それに日本語のなかに〝テーマ〟とかスペイン語の単語も聞き取れる。自分がイメージしていた日本語とまったく違う。日本語がわかると思っていたので、かなりショックでした」

こうして、言葉も通じないまま、ぎこちない三人の生活がはじまった。ところが、しばらくすると父親は日本にデカセギに行ってしまった。

「私と継母二人きりにしてですよ。その無責任さ、もう理解できません。まあ、おかげさまで私は、この方とコミュニケーションを取りたくて、またいろいろなことも聞きたくて一生懸命日本語の勉強をしました」

当時、宜野湾市の国際言語文化センターに三カ月で日本語を覚えられるというコースがあった。ミリアンは、そこに入学して一日中みっちりと授業を受けた。日常会話ができるくらいと、平仮名とカタカナの読み書きを学んだ。継母とは、連れ立って買い物に行ったり、料理をしたりと結構仲良くしていた。そのうち、わかったことは、継母も父親とは再婚で、初婚の人との間に男の子がいたということ。だが、その子は、いまどこにいるかわからないそうだ。

「継母も結婚生活には、苦労していたのですね。そんなわけで、私の沖縄の男性というのは、口うるさい、お酒が大好きで仕事が終わったら真っ先にお酒を飲む、家にほとんどいない、いても何もしない、という悪いイメージばかりだったのです。私は絶対に沖縄の人とは結婚しないと決めていたんですよね」

ミリアンが話に夢中になっていると、男性が「お茶でもどうぞ」とさんぴん茶を出してくれた。

「彼は、私の元旦那。『ヤンバル食堂』のオーナーです。おかげさまで私はここで仕事しています。この人間関係、とってもラテン的でしょ」と屈託なく笑った。

実はミリアン、あれほど沖縄の人とは結婚しないと決めていたが、結局、最初に結婚した人はウチナーンチュ、しかも、父親似の無責任男だった。当然、その人とは一年ももたなかった。その後、再婚したのもウチナーンチュで、いま、さんぴん茶を持ってきてくれた人。この人は、ダメ男ではなかったが、「私の頑なな性格から」別れることになったという。

「もともと、『ヤンバル食堂』の経営は、彼に依頼された話です。でも彼は料理ができないから私に『やらないか』と話を持ってきたのです。『よし、やりましょう』と私は二つ返事で承諾したというわけです」

話をもとに戻すと、日本語学校に通った後、ミリアンはまず沖縄で仕事をしようと職探しをはじめた。継母は、優しかったが、何となく居心地が悪かったので、どうしても自立したかったのだ。たまたま日本人学校で友だちになった日系ボリビア人が紹介してくれたお弁当屋で働くことになった。ここは、三カ月で辞めてしまった。

「それには理由があるんです。当時は沖縄市の登川に住んでいて、弁当屋は石川だった。私はバス代を持っていなかったので、毎日一時間以上歩いて通っていた。継母に言えば、お小遣いをもらえたはずでしたが、言いづらくて、もう学生でもないしね。日系ボリビア人の友だちが『それなら、ちょっとお金を貸すよ』と言ってくれたけど、お給料をもらっても返したら、何も残らない。意味ないじゃん。で、がんばって歩いて通勤していたのです。だけど疲れ切ってギブアップしてしまいました」

その時の時給は二五〇円だった。後にこれはかなり低い時給だと知ったという。

一九八九年の最低時給は東京が五二五円、沖縄は四四六円である（厚生労働省「最低賃金に関する実態調査」）。二五〇円というのは、不当に低い時給で働いていたことになる。

その後、ミリアンはガソリンスタンドでも働いた。オーナーは、日系人ではないが、ペルーに滞在経験のある人だった。彼は、日本語学校の先生の知人で、ミリアンが仕事を探していることを聞いて「ああ、いいよ。雇ってあげるよ」と言ってくれた。それも時給五〇〇円というお弁当屋とは雲泥の差で雇ってくれた。

「すごく嬉しかったですよ。だけど、私の日本語力ではろくな接客ができなかった。読み書きも満足にできなかったでしょう」

男性従業員から「あなたは何ができるの」という嫌味をよく言われていた。反論する日本語力もなく、胃が痛くて休んでもそれを伝えることができなかった。

「もどかしくて苦しかったですね」

そのガソリンスタンドでは女性が働くのは、珍しかったようだ。結局、ここでも約一カ月しか続かなかった。

ラッキーにも、また、すぐに就職先が見つかった。今度はホテルだった。友人の知り合いから紹介され、そこのトップは日系アルゼンチン人だった。

「私は、炊事場で働きたかった。ジャガイモの皮むきでもいい、玉ねぎのみじん切りでもいい、あるいは皿洗いでもいいから炊事場を希望していたんです」

ところが、「大丈夫。ミリアンが笑ってくれたら皆喜ぶから」とラウンジの担当を命じられた。

実際に働いてみると、いろいろなお客さんがいて「苦情を言っているのは、表情でわかる。でも、なんで怒っているのかわからない。すっかり人と接するのが怖くなって挫折を感じました。私は、気が強い一面、すごく気が小さいんです」。

ガソリンスタンドや、ましてホテルのラウンジ業務など、接客業の基本を教えずにいきなり現場に立たされたら、戸惑うばかりだっただろう。その上、敬語どころか日本語もおぼつかないようではとても務まるはずはなかった。ここも数週間で辞めた。

本土へデカセギに行く

もう沖縄では、ダメだと考えたミリアンは、本土に行こうと考えるようになっていた。新聞の求人広告から読める文字だけを拾った。継母に「これどこ。どこ行けばこの会社に勤められるの」と何度も聞いて、一緒に職安に行ってもらい、手続きもやってもらった。

その結果、日系人を本土企業に斡旋する人材派遣会社から派遣社員として、愛知県豊橋のメーカーに就職が決まった。いよいよ沖縄を離れて、日本へ行くことになったのだ。

「不安というより、本当に自立できるという嬉しさと、今度こそがんばるぞという気持ちで緊張していました」

そのメーカーに行ってみると、南米の日系人が多く働いていた。

「オーディオ機器の部品の組み立てでした。ベルトコンベアに部品がいっぱい流れてきて、ちょっと油断すると、自分のところで部品が溜まってしまう。でもすぐに慣れました。あの仕事は楽しかったなあ」

住まいは、アパートの一部屋に女の子四人。一人は、偶然にもお弁当屋で働いていた日系ボリビア人だった。あとは日系ペルー人と日系ブラジル人、日系アルゼンチン人のミリアンという南米グループだった。

「四名とも同じ南米ということで、それはそれで仲良くてすごく楽しかった。ただ、この三名はおとなしいというか、好奇心がないというか、私だけがメチャ浮いていた。週末になると東京や埼玉まで行って、日系人やアルゼンチン人と集まっては、料理をしたり、おしゃべりをしたり楽しんでいたんです」

その後、三人は、本土の別会社や沖縄に戻って、ミリアンだけがしばらく残っていた。

「絶対お金を貯めて、いったんアルゼンチンに帰ろうと思っていたからです」

沖縄では、一カ月、二カ月単位で仕事場を変えていたが、この豊橋のメーカーでは二年余勤めていた。給料は、沖縄のときよりずっとよかった。部屋代は月に四〇〇〇円、残業も届けを出せば残業代が支払われていた。ときに残業代を含めて二十万円ほどの月給を受け取ることもあった。そして二年間、必死に貯金してアルゼンチンに帰れる金額は貯まっていた。当時、日本はまだバブル期だった。

ミリアンは、いったん沖縄に戻り、アルゼンチンへの航空チケットを購入した。すると父方の親戚たちは、「多分、アルゼンチンに帰ったら、もう沖縄には戻ってこないだろう」と思っていたようだ。

「サヨナラパーティをやってくれました。お餞別もくれました。貯金したお金と合わせると結構な金額。一〇〇万円くらいになっていたので、私はそれを持って有頂天になってアルゼンチンへ帰りました」

ここは私の居場所ではない

約三年ぶりに生まれ故郷に戻ってきた。

日本にいる間は働いてばかりだったミリアンだったが、いざアルゼンチンに帰ると、友人は多いし、気が大きくなっていた。高校時代には到底行くことのできなかったクラブやちょっと高級なレストランへ友人と連れ立って、いつもミリアンが支払っていた。そんなわけで日本から持っていったお金は、一部を母親に渡したものの、いつの間にかなくなっていた。

懐かしい生まれ故郷に帰ってきたので「ハイテンションになって自分を見失っていたんで

す」。しかし、友人たちは日常の生活がある、仕事もある。話も噛み合わず、あげくに「あなた、悩みの一つもないんでしょ」と言われてしまった。

「アルゼンチンがいいと思ったら、そのまま残って仕事をする気もあったんです。ところが、自分の感覚がまったく変わってしまっていた。皆の声が大きいし、一人で歩いていたら声をかけられるし、外出するのが怖くなってしまった。こうした環境でいままで私はどうして暮らしていたのかね、と思ってしまったんです」

わずか三年間日本にいただけで、ミリアンは自分が変わっていたことにはじめて気づいたのだった。

当時、アルゼンチンは、一九九二年の通貨改革でアルゼンチン通貨のペソが1米ドル＝1ペソと固定相場になり、経済の自由化が進められていた。そのため一時的にハイパーインフレが緩和されていた。しかし、社会情勢は、失業率は上がりはじめ、失業者や貧困者による社会運動が活発化しつつあった。

「私の居場所はここではない。逆にアルゼンチン人ではなく、日本人だという立場を見せた方が、居心地がよかったかもしれない。私は誰ね、という感じでした。以前楽しかったことでさえ違和感を感じていたくらいなので、じゃ、そこで暮らすとなるとどうかな。金銭感覚もまったく違ってきたし。日本に行く前の私の悩みは、誰々が振り向いてくれないとか、振り向かせるにはどうしたらいいかくらいでした。ところが、戻ってみると恋愛の期待はあったのですが、私は誰というのがわかっていないと恋など無理でしょうと思ってしまったのです」

こうして約半年間アルゼンチンに滞在していたが、日本に戻ることにした。

しかし、また日本に戻っても、父親のところには戻れない。戻って来るな、というわけではないが「お餞別までもらったのに、何をしに来たのと思われるようで（笑）」。

こう考えて、沖縄に戻ると同時に、また派遣会社と契約して今度は静岡県浜松市のオーディオメーカーで働くようになった。ここでは、豊橋のオーディオメーカーほどの待遇ではなく、残業手当などはカットされていた。それでも「この会社で働いたときが一番楽しかった。日本語もドンドン上達したしね。社員には、地元の人たちや日系二世もいっぱいいました。沖縄出身の人たちもいました。私も沖縄の派遣会社からの社員なので、皆から、ちょっと変わったウチナーンチュだと思われていました（笑）。その頃になると、日本語にもすっかり慣れ、一時期は自己流でしたが、通訳補佐みたいな仕事もしていた。だから楽しかったです」

楽しかったというのは、うなずける。沖縄出身の同僚と恋に落ちたのだ。そして、彼が沖縄に帰ることになって、ミリアンも一緒について行くために会社を辞めた。この会社には二年ほど働き、二十四歳になっていた。

結婚したのはウチナーンチュ

沖縄の人とは結婚しない、と固く決めていたのに、同僚であった彼と結婚、名護のアパートで新婚生活がはじまった。

「彼との生活がはじまるや、恋人時代とはまったく違った。私が持っていた典型的な沖縄の男性イメージ。仕事はあまり好きでない。家でダラダラしている。もう夢に描いていた結婚生活はシャボン玉のように消えていきました」

やがて妊娠。それでも生活が苦しかったので、ミリアンは大きなお腹を抱えながら食品加工の会社で働いた。幸いにも会社は、家から歩いて五分のところにあった。

「今度は、自分だけでなく、子どもを守ってあげなくては、育てなくてはならないという自覚が芽生えてきて、がんばって働くことができたんです」

妊娠したことを母親に知らせると、母親は初孫の顔見たさにはるばるアルゼンチンから沖縄にやって来た。はじめて沖縄の地に足を踏み入れたのだ。幸せな娘の姿を想像していたが、現実を見てかなりショックを受け、嘆いていた。その上、母親の顔色が悪い。かなり疲れているようだった。

「どうしたのかと問いただすと『子宮筋腫らしい』と言うのです。もうびっくりです。ちょうど、私が、妊娠六カ月くらいのときだったかな。すぐに私が通っていた産婦人科に母を連れて行き、診察してもらいました。そしたら、筋腫がいっぱいできていて貧血も最悪だった。で、入院して手術です。母は、それほど悪かったのに、私が聞くまで黙っていたんですよ。自分より私の方が心配だったんでしょう」

幸い、手術は成功、孫が誕生するときには退院していた。一九九五年五月、無事に女の子が生まれた。ミリアンの夫はというと「どこにいるやら、そばにいてほしいのにまったく頼りにならない。当時、私は車の免許を持ってなくて、名護の街を歩き回って買い物などしていたんです」。

見かねた母親は「あなた一人では無理でしょ」と日本語もよくわからないのに、働くと言いだした。それなら、と産休をとっていたミリアンの代わりに、復帰するまでの間だけ働くことになった。この時は、もう離婚をしていた。

「結婚から一年半も持たなかったです」

その後、母子家庭手当を受けることができ、生活が徐々に安定すると、母親はアルゼンチンに帰りたいと言いはじめた。

「もっとも、母は、母親も兄弟姉妹もアルゼンチンにいるので、日本にいてもなあ、クリーニング店の手伝いもあるし」ということでアルゼンチンに帰っていった。

長女と二人だけの生活に慣れた頃、ミリアンに新しい恋人ができた。このとき長女は二歳になっていた。

「実は、彼というのは、私が勤めていた食品会社の社長の長男です。そうそう、さっきさんぴん茶を持ってきてくれた彼（笑）。でも、彼の家族は、私たちの結婚に大反対でした。それでも、彼は『あなたを守ってあげる』と約束してくれました」

守ってくれると言ったでしょ

彼の家族の反対を押し切って、ミリアンは結婚。しかし、その後も家族は、結婚を許してくれず、何かと不満を言ってきた。すると彼は、いつもこう言う。

「何を言われても気にしなければいいじゃん」

「でも、あなたは『守ってくれる』と言ったじゃない」

「じゃあ、何をしてほしいの」

「そうではなくて、守ってくれればいいだけ」

こうしたやり取りになるという。彼にしてみれば、結婚後、具体的にどういうことが「守る」というのか、わからなかったのだろう。ミリアンは、彼の家族が何を言おうが、自分の側に立って反論してほしかったのだ。それが「守ってくれる」ことだという。意思疎通が図れないまま、時は過ぎていった。

やがて長男が生まれたが、夫の家族はいまだミリアンに好意的ではなかった。彼の両親とも温かな家族関係を望んでいたミリアンにとって、これも大きなしこりとなっていた。

「旦那はすごくいい人なんですよ。私を『このままにするとダメになるかもしれない』と思ったんでしょう。『あなたが、やりたいようにやっていいよ』と言ってくれたのです。それじゃあ、私のやりたいことはなんでしょうという感じになってね」

一時期ミリアンは、名護の街で小さなパーラーを出していて、エンパナーダやミラネーササンドイッチなど南米的な料理を出していたことがあった。そこでは、南米関係の人たちとつながり、さまざまな情報を得るようになっていた。そうしたなか、名護でラテンバーを経営しているペルー人夫妻と知り合いになった。ミリアンは、エンパナーダをつくってこのラテンバーに卸すということを思いついて、実際に商売をはじめた。

「そのラテンバーに出入りするようになると、私はもうラテンの血が騒ぐというか、サルサダンスに夢中になってね。もう十代の頃の自分が戻ってきたような、誰にも止められません、みたいな感じで」

この頃、長女は、すでに高校を卒業して専門学校に行くため那覇に引っ越していた。ミリアンも一緒に那覇に引っ越したが、まだ名護の自宅にいる中学生の息子が気になって、毎日のように那覇と名護を往復していた。その間も時間があれば那覇のドトールコーヒーでバイトをしたり、名護のラテンバーでも接客をしたりしていた。いま、このラテンバーは閉店している。

こうした自由な生活をさせてもらっていたが、気分的に開放されたいという思いがあって、ミリアンから離婚を言い出した。夫は、「しょうがないな」と承諾してくれた。

「その後は、本当にストレス解消というか、うっぷんばらしというか、今までは自分はこうでないといけないという縛りが急に飛んじゃったので、やりたい放題でした。でも、生活基盤はなくて、バイト繋ぎでどうにかこうにか、長女と二人、生活をしていたんです。娘の方がしっかりしていて『母親なのに、こんな生活しているなんてどういうこと』と怒られましたよ。まあ、今でも言われていますがね（笑）」

四十代は、こうした生活を数年続けていた。最後は友人の飲食店を手伝っていたが、朝の六時に開店し、夜の十二時、一時に店を出るという日が大半だった。

「体力的にきつい。私はここで何をしているんだろうと思いながらも、うるさい上司がいるわけでないし、引き受けた以上はがんばろうと三、四カ月続けていましたね」

結局、倒れて救急車で運ばれた。真っ先に、離婚した夫が駆けつけてくれた。そして怒られた。

「お前、いい加減にしろよ。名護に戻って生活しなさい」

ミリアンは那覇での生活をあきらめた。だが、大人しく名護に戻ったかと思えば、すぐにまた病院の厨房で仕事をはじめた。

「ここでは、朝の五時から調理人として働いていた。最初は辛かったけれど、あっという間に慣れましたね。働きはじめて二年が過ぎたとき、ここ『ヤンバル食堂』に誘われたんです」

「ヤンバル食堂」の料理長

料理するのが大好きだというミリアン。その原点はアルゼンチンにあった。クリーニング店を営んでいた祖父母や母たちは忙しかったので、ミリアンは小学生のときから台所に入り、パンケーキのようなものをつくっていた。自分たちだけでは食べきれず、友人の家に持って行っては、母や祖母を呆れさせていた。とにかく料理が好きだった。日本に来てから、ずっと調理人として働きたがったが、やっとその職に就けたのが名護の病院だった。

「沖縄料理は、普段食べていたので味はわかります。日本料理の味もわかる。でも作り方はどんなかな、と思っていたんですね。それが、名護の病院で勉強できました。あくまでも病院食で普通とは少し違う味だけど、基礎的な仕込みや出汁の取り方などを知ることができましたね」

病院での経験は、「ヤンバル食堂」で見事に生かされている。そうでなければ、三十二種類ものメニューをこなすことはできていない。そのなかには、アルゼンチン料理のエンパナーダも含まれているが、これは生地から中身まで全部自分でつくっている。

「多くの人は、オーブンで焼くが、私は油で揚げている。なぜ油っこくないかは企業秘密（笑）。エンパナーダはメンドーサとサルタなど地域で味の決め手がある。私は両方のものを食べて、いいところ取りをして、いまのエンパナーダになったのです。中身のお肉は香辛料のクミンとナツ

「エンパナード」と「ゆし豆腐」

メグのバランスが大事ですね。以前は、もう少し辛くてマッシュポテトを入れていたんです。でもマッシュポテトを入れることによって保存ができない。私のエンパナーダは冷凍してもおいしい。でも、いまは冷凍するまでもなく出てしまいます」

以前は一回の仕込みで六十個つくっていたが、手間がかかるので現在は週末でも三十個しかつくらない。

この「ヤンバル食堂」は、かつて本土企業のチェーン店だった。家賃が高くて、店を維持していくのは、相当腹をくくらないとできるものではない。朝は、七時前に来て仕込みをやって、夜は明日の仕込みで一〇時か十一時まで働いている。休みはない。

「嬉しいことに、息子も娘も料理が大好き。二人ともここで働いているが、娘は五時まで働いて、夜は焼肉屋でも仕事しています。何か夢があるようでがんばっています。いま娘とは、揉めながらも女同士として仲良くやっています。逆にいろいろ教えてもらっていますね（笑）。息子とは、もうお友だち。ありがたいです」

ミリアンは、毎日が忙し過ぎて、たまに食べることを忘れる。するとスタッフが「店長、今日ご飯食べました？」「ええと、食べていない（笑）」。

「いま私は、皆に守られています。いままで、いいことも悪いこともいっぱいあったけれど、すべてにおいて感謝です。もし、苦労を知らず、ずっと幸せというのはつまらない人生でしょ。二〇二一年で私は五十三歳。まだ、止まりませんよ。別れた旦那からは、一切お金をもらっていません。以前は、目標もなくがむしゃらに働いてきけれど、『ヤンバル食堂』はずっと続けていく。だって夢がありますからね」

ミリアンが小さいときから食べ慣れていたアルゼンチンの料理はすべてヨーロッパ由来だ。

「はたして、本当に私がおいしいと思っているお料理はどんなものでしょうか。だから、ヨーロッパ、特にスペイン語の通じるスペインに行って本場の料理を食べてみたい。そして自分の知っている沖縄と日本の料理を加えて、オリジナル料理を創作したいのです。それを息子たちにつなげたい。それが夢」

最近、アルゼンチンからルクセンブルクに行ってフレンチ料理人となった従姉妹と頻繁に連絡を取り合っている。

「彼女も私と同じ夢を持っているの。だから、実現不可能な夢ではないでしょ」

もう一つ、語っていた。

「それからね、初対面の人と話していて、最初の十分間は『あなた外人ね』と言わせないように、日本語が上手くなることです。私の人生は波乱万丈。これでもずいぶん飛ばしている部分あるんですよ。これらを話していると夜が明けてしまう」と茶目っ気たっぷりに笑っていた。

第二章　ペルー日系人

ペルー移民の歴史

日本から最初にペルーへ移民を送り出したのが一八九九（明治三十二）年。沖縄県からは一九〇六（明治三十九）年にはじまっている。サトウキビや綿花栽培の労働者として四年間の契約移民だった。しかし、過酷な労働条件下で逃げ出す人が続出した。一方で契約期間を終えた人は、都市に移動して食料品店、雑貨店、散髪店、菓子店を経営、農地を購入して綿花や野菜の栽培で成功する人が出てきた。この頃から、自由移民として呼び寄せ移民の時代に移っていった。

一九一一（明治四十四）年にはペルー沖縄県人会が設立され、模合をはじめている。第二次世界大戦中は、多くの日本人が敵性日系人とされ、強制的に外国退去を強いられた。ペルーから一八〇〇人の日系人が監禁されたが、その約五〇%が沖縄県出身者だった。

戦後、南米への移民が開始されたが、ペルーへの呼び寄せ移民は厳しく制限されていた。一八九九（明治三十二）年から一九三八（昭和十三）年の間に沖縄県から移住したのは一万一三一一人。それに対して、戦後は、一九七一（昭和四十六）年までわずか七三三人だけだった。

沖縄を受け入れるのに十年の歳月
日系人の協力があっての
レストラン開業

母親とジョバナ。現在、オーナーとしてジョバナが店を仕切っているが、もともと両親の店だから、公には旧姓の比嘉ジョバナとしている

ペルー料理
TiTiCaCa（ティティカカ）　沖縄県沖縄市中央

比嘉 ジョバナ

三世、1979（昭和54）年生まれ

ペルー家庭料理「T·i T·i C a C a（ティティカカ）」が、コザの街にオープンしたのは二〇一三年。比嘉ジョバナの両親が開業したレストランだ。コザは基地の街だけに、来店客は軍人はじめアジア系、中南米系とインターナショナルだ。

そもそも、戦後にキャンプコザができたことでコザ市が生まれた。そして一九七二年、沖縄が本土に復帰した後、コザ市と美里村が合併して沖縄市が誕生した。このとき、コザの地名は地図の上から消えた。だが、アメリカ文化と沖縄文化がチャンプルーした魅惑的な街は、いまでも「コザ」と愛着を持って呼ばれ続けている。

このコザの街がまだ眠っている朝の十時、「ティティカカ」が開店する前の慌ただしい時間にジョバナから話を聞いた。彼女は、早口でときに方言を交えながらファミリーヒストリーを語ってくれた。しかし、祖父母の代にまで遡ったので、ややこしくて系図を描かないとすぐには理解できなかった。

「ティティカカ」店内の壁にナスカの地上絵

父方はボリビアへ、母方はペルーへ

「父方の比嘉ファミリーは、本部出身で皆ボリビアに行きました。戦前ですね。母方の平良ファミリーは那覇出身。多分、初期の移民としてペルーに渡ったと思います。

ボリビアに行った比嘉のオジィは、日本人のいる町から離れてオルロの町に行った。日系人は二人しかいなかったそうです。オジィのお嫁さんになる人は、十八歳のときにボリビアに行ったと聞いています。そこにいたオジィを親友から紹介され、そのまま船から降りてオジィと結ばれた。そして子どもが五人生まれて四番目が私の父というわけです」

ボリビアのオルロといえば、南米三大カーニバルの一つ「オルロのカーニバル」は有名でユネスコの世界無形文化遺産に登録されている。戦前は錫の採掘で栄えていた町だが、資源が枯渇して第二次大戦後には衰退した。ジョバナの祖父は、オルロが繁栄していたときに、活路を見出して移住したのかもしれない。

「ボリビアでの生活は、安定していなかったのでオジィ一家はペルーに渡ったんです。ペルーではお父さんの一番上の姉さんが薬局を営んでいて、そこの従業員として働いていたのが私のお母さん。そこでお父さんとお母さんが出会ったのです」

ペルーでは、どの町に行っても沖縄の人たちは寄り集まっていて、日系人を先に雇っていた。現地の人は信用できないということだった。

「母方の平良のオジィは那覇からペルーに渡って、ペルー生まれのオバァと結婚した。オバァは、二世ですのでスペイン語と沖縄方言も話せて、日本料理もペルー料理もすごくうまかったんです。子どもは男六人と女五人、合計十一人もいたので厨房は大きくて、料理もレストランのように大量につくっていたんですね」

日本でもそうだが、特に沖縄のしきたりでは、長男長女は特別扱いで育てられる。ジョバナの母親は次女であったため、いつも家族全員の料理をつくっていた。また、十五歳離れている一番下の弟の面倒も見ていた。こんな母親だったので、レストラン「ティティカカ」をつくることができたとジョバナは話す。

自宅の一階は金物屋、隣は建築資材倉庫で奥に設計事務所。大きい子がジョバナ

ジョバナは、一九七九年にペルーのリマで生まれた。兄と妹の三人兄姉妹だ。父親は建築士で、自宅一階は設計事務所兼資材置き場だった。もともとは車関係の仕事をして、ペルーの砂漠でトヨタやニッサンのレースの手伝いをしていたこともあった。ときに何カ月も家を空けていた。

「お母さんと結婚してからも、何カ月も家に帰って来ないものだから、お母さんがブチ切れた。それで、お父さんをもう一度大学に行かせて、一から建築の勉強をさせたんですよ。私のお母さんすごい。もう怖いです（笑）」

結局、母親は夫に建築士の資格を取得させ、会社まで起こしたのだ。なるほどすごい母親だ。

何も準備なく家族全員が沖縄へ

ジョバナの家族は、一九八九年に沖縄へ来た。

「当時、ペルーでは、拉致があったりして、普通の学校でも親が送り迎えするのは当たり前でした。特に日系人はお金を持っていると思われて狙われた。自分たちが通っていた日本人学校は、何回も爆弾を仕掛けられて『避難しなさい』ということが普通にありました」

街でも週に、一、二回はどこかで爆発があり、電気が消える、水が出なくなるという状況を繰

15歳で沖縄に渡ったジョバナの伯母さん（赤ん坊を抱いている）。
ジョバナ（下左3人目）と母方の親戚たち

り返していた。

「一回は、リマの中心地に住んでいる叔母さんに電話したら、『ちょっと待って、ちょっと待って、狙撃がはじまったから、いまテーブルの下にもぐるよ』と。自分たちはおもしろがって『電話切らないで聞かせてよ』と言ったら、本当にバンバンと聞こえたんですよ。毎日こんな感じでしたね」

ペルーは一九八〇年に軍事政権から民政に移管したが、経済政策の行き詰まりで不況が長引いていた。失業者も多く、ハイパー・インフレで左翼ゲリラによるテロが頻発していた。ジョバナ一家が沖縄に移住する決断をしたように、八〇年代後半は、多くの日系人が帰還していた。

しかし、こうした治安の悪化だけが、ジョバナ一家が沖縄に移住するきっかけではなかった。

「一九八九年にお母さんの母親、つまり平良のオバァが亡くなったんです。そしたら、オジィの落ち込みがひどくて。それで、生まれ故郷の沖縄に連れて行った方が少しは元気になるんじゃない、ということでね。オジィに言ったら、『行きたい』となったんです」

そもそも、ジョバナ一家が沖縄に移住する数年前だが、平良のオジィの十一番目の娘（ジョバナの伯母）が十五歳のときに「家に人が多すぎてうるさい」と那覇の親戚の家に一人で移住。さらに、ペルーに一時帰国していたときに、彼女の一番末の弟も沖縄に連れて行った。この二人は、平良のオバァの具合が悪くなるたびにペルーと沖縄を行き来していた。

「ペルーに戻るたびにあか抜けた格好して、それも来るたびにレベルアップしていたんですよ。『ステキな人たちだね。日本語話せるの。どこよ、沖縄って』と友だちから質問責めにあうわけ。また、お土産にきれいな下敷きや鉛筆などの文房具を持ってきてくれるでしょ。ペルーにない筆箱なども。皆で『不思議な国はどこだ。あっちに行ったら、こういうのがいっぱいあるんだ』と口々に言い合っていたの。そんなわけで沖縄への憧れもあった。オジィも沖縄に行ったら、きっと元気になるよね、ということだったのです」

1989年、ペルーから日本に行く父親を見送りに行ったとき。
両親と子どもたち。ジョバナは10歳（左）

こうしてジョバナ一家は、沖縄への移住を固めていった。まずは、オジィと一緒に父親も沖縄に行く、仕事と住居をしっかり準備してから妻や子どもたちを呼ぶ。これが父親の考えだった。

それはそうと、十五歳で沖縄に行ったオジィの娘についてジョバナはこう語っている。

「伯母が預けられた親戚の叔母さんという人が、沖縄ではチューバーと言いますが、とってもしっかり者で、十五歳だった姪っ子を日本語ができないからと小学校一年生のクラスに入れたんですよ。それで、小学一年からドンドン上がらせて、沖縄国際大学だったか、大学まで行かせてくれてね」。

彼女は日本語とスペイン語はもちろん英語も

自在にこなせるようになっていた。

「一足先に沖縄へ行ったお父さんは、仕事と住まいを見つけてから、私たちを呼ぶと言っていたんですよね。それにオジィや叔母たちと一緒に住んでいたんですよ。だのに、家族と離れていることが寂しくて我慢できなくて、リマの会社も家も全部売って早く沖縄に来いと連絡があったんです」

それを聞いて、ジョバナたちは、大慌てで自宅や会社の処分をして沖縄に向かった。ところが沖縄に着くや、父親は「はい、何からやりましょう」と言い放った。仕事など何も探していなかった。

「このとき、何がおかしかったかって、来たとき沖縄は夏でペルーは冬。スーツケースを開けたら、全部冬服。『え、逆なんだ』。もう、すべてがこう。ちぐはぐなんですよ。いまもこのお父さんは変わらない。ほんとにラテンの男。唐突で一度スイッチが入ったら誰も消せないです（笑）。沖縄に行った当初は、私らデージデージ貧乏してキツかったもの」

デージとは沖縄方言で「たいへん」という意味だ。

その後、那覇に家を借りたが、ペルーと日本の家の大きさはまったく違う。ペルーの家は、三階建てで一階には父親の設計事務所と金物屋と資材倉庫があったほど大きかった。

ところが、那覇のアパートは、玄関に入ってすぐ和式のトイレがあった。

「これ足洗いなの」

「家に帰ると、まず足を洗わないといけないの」

「いやいや、これトイレだよ」

「靴を脱いで、靴下でお家のなかを歩くのか」

ジョバナたちの沖縄での生活は、こうした戸惑いからはじまった。玄関とキッチンと二つの部屋、それとベランダだけの2Kだった。叔母が持っていたアパートを落ち着くまで貸してくれたのだ。父親は、建築家だったということもあり、押入れのドアを取り外して「はい、二段ベッド」という調子で工夫しながら五人でどうにか生活をしていた。

文化の違い、悲しい出来事

ペルーでは、ジョバナたち兄姉妹は、リマにある日本人学校に通っていた。自宅はZárate（サラテ）という町にあって、学校まで車で一時間もかかって通っていた。

「遠くても、日本人学校でないといけないという親のプライドで通っていたんですよ。平良の親戚は、あまりこだわっていなかったんですが、比嘉の親戚からは『沖縄の血を汚すな』とずっと言われていたんです。私たちは、まだ子どもだったからその意味がわからなかったです」

そんなわけで、日本人学校で平仮名とカタカナは習っていた。しかし、沖縄に来て「一番難しい漢字を言ってみてごらん」と言われると「郵便局」と答えていた。その程度の日本語力だった。それでも、日本人学校では、日本の国歌を教えられていたので「君が代」は歌える。逆に日本に来て、歌えない子がいるのに驚いたとジョバナ。

ジョバナたち兄姉妹は、那覇市内の小学校に連れて行かれた。だが、外国人の生徒は誰もいなかった。過去も入学したことはなかったという。

「沖縄市だったら、基地関係の外国人もいたでしょうから、まだよかった。いまだにそう思います」

というのも、通訳をしてくれた伯母が、「教頭先生が校長先生に『いじめがはじまる』と言って、あんたたちが学校に入るのをとっても嫌がっていたよ」と憮然として言っていた。

しかし、ジョバナの母親は強気で「学校に入学させる」と言い張った。すると先生たちは「じゃ、仲良し学級に入れましょう」と。仲良し学級とは知的障がい児のクラスだ。それに母親は激怒して「普通の子どもたちと同じように扱うべきだ」と猛烈に抗議した。その気迫に押されてか、校長先生が入学を許可してくれた。

ペルーダンスのワイノの衣装を着て踊った日本人学校の運動会

「私は十歳で四年生。兄は十三歳だったので本来は中学生です。だけど、中学に入るとすぐに高校受験だからと小学五年に入れさせられた。彼が一番たいへんだったはず。モテモテの年齢でしょ、髪も伸ばしていて、彼はまったくの南米人ですから足も毛深くボウボウ。でも、ショートパンツにランドセル（笑）」

また、ジョバナは一万五〇〇〇円もするランドセルに驚いた。

「何でこの重いカバンを持っていくの。何でこんな高いランドセルを買わなきゃいけないの。いま持っているカバンでいいじゃん」と反発していた。それだけではなく、皆と合わせないといけないさまざまなルールにも子どもながら疑問に思っていた。

「私は、いまだにランドセルは反対です。重いし、高いし、何か理由があるんでしょうけど、いまもその理由を見つけることができません」

また、こんなこともあった。ペルーは雨が降らないので、子ども用の靴はノリづけされているだけ。沖縄に来て雨が降ると、ノリが剥がれてすぐにパカパカと開いてしまった。靴屋に新しい靴を買いに行くと、いままで見たこともない紫の生地のかわいい靴を見つけた。すっかり気に入って買ってもらった。これを学校の初日に履いていった。すると、

「先生に『これ上履きだよ。これ履いて来たのか』と言われたんですよ。先生も、どういうことが起こるか、この子とどうやって話をしたらいいか、わからなかったんですね。和英辞書はあるが、当時スペイン語の和西辞書はなかなかないじゃないですか。先生も困ったと思います」

結局、靴を脱いで靴下で校内を歩くことになった。

「なんであの子、靴下で歩いているの」「転校生が、靴下で歩いているよ」「ペルーってどこなの」などと、いろいろ聞かれる。だけどジョバナには、「靴下」の単語はわかるが、あとは何を言っているかよくわからないし、答えることもできなかった。

また、母親はペルーのときの習慣で、沖縄でも兄姉妹の登下校の際、一緒に歩いて送り迎えをしていた。すると「あの子たち馬鹿みたい」と言われた。母親としては、子どもだけで登下校さ

せることは、交通事故に遭わないか、拉致されないかと心配だったのだ。さすがに、送り迎えは数日でやめた。

登校して三日目くらいだったか、ジョバナは学校にペルーのお菓子を持っていき、皆に配りはじめた。

「ペルーじゃ普通なんですよ。お弁当とおやつを持っていくのは。私は、皆に食べさせたくて持って行ったのに、すごく怒られた。だけど、なんで怒られているのか、わからない。先生は『ダメ、ダメ』と言う。でもスペイン語でダメは〝dame〟で〝ちょうだい〟という意味なんです。先生が『ダメ、ダメ』と何度もいうもんだから、この先生、もっと欲しいのかと、私はポケットからマジシャンのようにどんどん先生に渡していたら、もっと『ダメ、ダメ、ダメ』と怒る。この先生、超意地悪だなあ（笑）」

結局、伯母が呼ばれて説明して解決した。

授業では、何もわからずただ「ワーンワーンと夢のなかのようだった」とジョバナは話す。

それから数日後、二年生だったジョバナの妹がいじめにあった。六年生の男の子が掃除のときに「あれ、ペルーの外人だろ」と言った。外人という言葉は差別的でいい言葉ではないということを聞いていた。妹は怒って落ちていた石を投げた。その石は、「外人」と言った男の子には当たらずに側にいた男の子の足に当たってしまった。すると「外人に石投げられたから、お前もやっつけろ」と皆で囃し立てた。その男の子は、手に持っていたホウキでバンバンと、ホウキが壊れるまでひたすら妹を殴った。

「私が、駆けつけたときには、妹は痛みと怖さでまるまってお漏らしまでしていた。さらに、この子たちは、私にもホウキを振り回そうとしたときに先生が通りかかった。皆はサーと去ってしまったんです。その先生は、保健室に行きなさいと言っただけでした」

家に帰って、両親に話すと「お父さんとお母さんは、もうブチ切れましたね」。翌日病院に連れて行くと、「これはひどい」と病院の先生が学校に電話してくれた。

校長先生も他の先生もこの事件のことは、何も聞かされていなかった。

実は、殴った子は、大人しい子で皆に冷やかされてやったとのことだった。その晩、先生と親御さんとその男の子が家に来た。そして、ひざまずいて謝っていた。

「私たちは、ひざまずくことを知らなかったんですよ。お父さんは、『何か落としたのか？』と電気をつけて床を見ていたんです。まったくこの父は天然だか、しっかりしているのかわからない（笑）」。

彼らは何度も「ごめんなさい。ごめんなさい」と謝っているので、「しょうがないな。子ども

日本人はジョバナ（中央の列左3人目）だけ。「この二人の先生からチーナと言われ、いつもいじめられていた」とジョバナ

のことだから」と父親はスペイン語だがこう言って納得していた。ところが、家を出る前に、先方の父親が封筒を出した。なかにはお金が入っていた。

「これでお父さんは激怒して、『帰れ』と怒鳴ってしまった。というのも、現金を渡されると、ペルーではお金で片付ける、あるいは娘を買うという意味なんです。いま考えると、相手は病院代と思って渡していたんですよね。本当にかわいそうなことをしました」

その後、この男の子は、中学生になって、もう会うことはなかった。日系ペルー人のジョバナのいとこが、この男の子と同じ中学校に入った。「あの子、ずっと暗いよ。私と目が合うと、どこかへ行ってしまう」と言っていた。

ジョバナの兄は自分がいなくて守ってあげられなかったと、ずいぶんと自分を責めていた時期があった。

「あの出来事で妹とその子だけでなく、周囲の皆の人生が変わったと思う。その子は一人っ子だったそうです。キツかっただろうな、きっといい子だったと思うんですね。文化の違いというのは、とんでもないことが起こる。いま、この子に会えば謝りたいと思う」とジョバナはしんみりと語った。

しかし、いじめは沖縄にかかわらず、どこに行ってもあるとジョバナは言う。ペルーで現地の幼稚園に二年間通っていたときは、先生から理由なく怒られていた。水の代わりにお茶を持っていっては「何でこんなの持ってくるのか」、沖縄の方言とは知らずに「カンプー」（髪を結うこと）と言っては「そんなことを言うな」と叱られた。

「当時は、いじめとはわからなかった。何が気に入らなくて、私だけいつも叱られるんだろう。多分、私がこんな顔で皆と違うからか。それとも、私の家は、幼稚園に近く、かなり裕福に見えてその妬みからか。または、中国人を嫌っていたのか。私は、いつも名前ではなく『チーナ（中国人）』と呼ばれていたんですよ。それから、私は、絶対に負けないというチューバーな性格が出てきたかなと思うんですよ」

こうジョバナは言っていた。

ただ、ただ沖縄から出たい

妹は、小学二年だったので、すぐに日本語を覚えて逆にスペイン語を忘れた。兄とジョバナがスペイン語で話すが、妹からは日本語しか返ってこなかった。

「いま、私の主流となる言語はスペイン語、兄は中高時代にバントをやっていたことや現在の仕事から英語が主流言語になっています」

兄は、国立埼玉大学に入学したが、途中で金銭的に親に頼れなくなり、アルバイトをしながら大学をトップで卒業。最初は、内地の車関係の会社に勤めていたが、負けず嫌いで再度就職活動をして、ベンツの会社に採用された。一〇〇〇名の応募者がいて彼一人だけが受かったという超難関だった。現在、エンジンの開発に携わってドイツと日本を行ったり来たりしている。「兄は一家のなかで一番優秀」とジョバナは誇らしげに言っていた。

実は、妹がいじめられたこともあって、当時、ジョバナは日本が嫌いでしかたなかった。そのため日本語を覚えることが、なかなかできなかった。

マルティネス神父から洗礼を受ける兄とジョバナ

「沖縄から出たい、いつペルーに帰るかという思いしかなかった。だから何をやっても、うまくいかない。常に家族の皆に何かしら問題が起こるんです。皆と違うからずっと『あの人たち普通じゃないよね』と言われる。そこがイヤでイヤでね。ペルーだったら、教会に行けたけど、ここでは教会に行っても日本語だからわからないし、私の居場所が見つからなかったのです」

宗教といえば、ジョバナの両親はカトリック。ジョバナたち兄姉妹も子どものときにマルティネス神父から洗礼を受けた。日系人のためのマルティネス神父は、カトリックの洗礼を受けても、日系の人々が大事にしている習慣、仏壇に線香をあげたりすることを続けるよう皆に説いていた。

中学生になると勉強がさらに難しくなる。全然ついていけない。高校受験について先生が説明するが、何をしたらいいのかわからない。こうした日々が続いていた。いよいよ、高校を受験するための三者面談が行われる日がきた。ちょうど教室に入る前に、たまたま友だちが隣に立っていた。その友だちは、豊見城高校に行くと言っていた。それで、先生が「比嘉、どこの高校か決めたか」「はい。豊見城高校です」と答えた。

当時、ジョバナは十六歳になれば、日本から出られると思っていた。だから高校はどこでもよかった。ペルーでは十六歳になると大人とみなされ一人で海外に出られた。

「とにかくペルーへ帰りたいわけ。さもなければアメリカでもどこでもいいから沖縄から出ていきたいという思いしかなかった」

県立豊見城高校の受験では、たまたま英語の先生が面接官だった。そのため英語で質問された。

「スペイン語も話せるのか?」

「はい」

「日本語も話せるのか?」

「少々」

この面接がウケて、ジョバナはこの県立高校に入学することができた。

高校時代は入学した当初からアルバイトをしていた。大学はというと名護の名桜大学を選んだ。兄が埼玉大学に入学しているので、金銭的に本土の大学は無理だろうと考えていた。また、名桜大学には南米の日系人が大勢いるとも聞いていたからだ。

実際、入学してみると聞いていた以上に南米の日系人が多く学んでいた。

「この人たちとは話が合うんですよ。気持ちいいんですよ。何を喋っても通じる。スペイン語とか日本語とか言語の問題ではなく、話す中身がよくわかるのです。ああ、この人たちも、どれだけ苦労したのか、悩んでいたのは私だけでなかったのだ」

ジョバナは、沖縄に来てからはじめて気持ちが切り替わった。あとは自分たちのやる気次第なんだ、と前向きに考えられるようになった。

「それからというもの人生が変わりましたね。私の場合、こう思えるまで本当に時間がかかりました。大学では経営情報学科に所属していたけれど、四年になったら一年間留学しようと思っていたので、三年までに講義を目一杯取っていたんです。そして、イギリス留学の試験にも受かった」

ところが、出発前になってもイギリスのビザが下りない。ちょうどこのとき、ペルー大使館の外交官が沖縄に来ていたので聞いてみた。するとペルー領事館とイギリス領事館とで話し合ってくれた。だが、「ペルー国籍の人にはビザを出せない」と電話を切られた。

同じように、兄もドイツ留学の試験にトップで合格していたが、「国籍がペルーか、日本人じゃないのか。では、二番の人にします」と留学は叶わなかった。二人とも日本国籍でないために留学を逃した。この留学奨学金は、日本人に支給されるものだった。母親に言えば「あんたたちをペルー人としたから」と悔いるだろうから、母にも言えず、ジョバナは悩み、悔しい思いをしていた。

「私は兄と仲が良くて、毎日のように電話して、絶対日本人になろうね、とこんな話ばっかりしていました」

留学ができないとわかってからは、ジョバナは自分と長崎の大学に入る妹の学費を稼ぎに半年間、埼玉にいる兄のアパートに行ってアルバイトをしていた。朝は浜松町のドトールコーヒーで、夕方からは沖縄のアンテナショップ「銀座わしたショップ」でのアルバイトだった。

「体力と気力だけで必死で働きましたよ。その後、沖縄に戻ってからは、何でもありみたいな感じ。何と言っても、大学での日系人たちの出会いが私にとって大きかったです。もう何でもいけると思うようになりましたね」

卒業後は名護市役所に勤めた。実は、高校時代と大学の四年間も空手大会や世界のウチナーンチュ大会などでボランティア通訳をしていた。もっとも、ジョバナは、日本語のできない両親といつも通訳のようなことをしていたので、このボランティアは得意だった。

そうした活動が、名護市役所に目をつけられていたのか、国際交流関係の街おこし係に入所しないかとのオファーがあった。

名護市役所では、南米からくる研修生を担当して七年間勤めた。実は、大学時代、ボランティア通訳のほか、スペイン語サークルに入って、サルサ、メレンゲ、バチャータ、ネグロイデなどペルーのダンスを教えていた。こうしたペルーダンスのなかでも、ジョバナは、カホン[※1]だけでリズムをとるアフロダンスのネグロイデが大好きだった。

やがて、学内だけでなく、世界のウチナーンチュ大会などあちこちで呼ばれて踊るようになっていた。すると、沖縄市でも日系人たちが踊りはじめて、さらに、日系人でない日本の学生も加わった。そのなかの一人は後にスペイン語の教師となっている。

※1　カホンとはスペイン語で箱の意味。ペルー発祥の打楽器で、もともとは奴隷として連れてこられてアフリカ人が、木箱を叩いて楽器として使われるようになったと伝えられている。

「ダンスを教えはじめた頃って、自分たちの親がペルー人であることを恥ずかしがっている人たちが多かった。私は、これを聞いて『おい、この考えを変えようぜ。皆で踊って自慢しよう』。こう言って大学時代と、この市役所時代の七年間ずっとやっていたんです。そのなかにいたのが私の旦那の城間秀明。同じ日系ペルー人です」

二〇〇六年、ジョバナは二十六歳のときに結婚した。

秀明は、皆の間ではペルー名のファアンが通称となっている。奨学金で琉球大学を卒業して、いまは、エンジニアとしてエレベーター関係の会社に勤務している。

計画性のない両親に振り回されて

ジョバナが名護市役所に勤めていたとき、父親は、那覇でバスの修理工場で働いていた。ペルーでは建築業を営んでいたが、日本の国家資格を持っていなかったので、建築家として働くことができなかった。母親は、日系ペルー人が経営している首里の「Ｇｏｙａ（ゴヤ）ケーキ店[※2]」で働いていた。兄は埼玉で妹は長崎だった。

「両親は、二人だけでいるのはさびしいと言うので、私は毎週のように那覇の家に帰っていたんです。だけど、私がクラブに行ったりすると、必ず両親もついて来るの。考えられないでしょ(笑)」。

そしてある週末、いつものようにジョバナは両親と夕飯をとっていた。すると父親がこう言い出した。

「あのさ、月曜日に内地に行くよ。弟(父親の)のところで仕事があるみたいだから、このお家と車の処分よろしくね」

まるでゴミ捨てを依頼するかのごとく涼しい顔だった。あまりにも唐突だったのでジョバナは呆れた。

そして、両親は数年内地で働いていた。たが、ジョバナが妊娠していたときに、母親は初孫だからと沖縄に戻ってきた。

「長女が生まれたら、もうお母さんは孫がかわいくてキャーキャー騒ぐ。するとお父さんまで沖縄に戻って来たんです。私は、またそこから彼らのアパート探しです。さらに、お父さんは『オ

※2　一九九二年創業、本店はコザ。シフォンケーキの老舗として知られていたが、二〇二〇年に日系ペルー二世のオーナーが亡くなり、閉店した。

レ、仕事、何をしようか』と言うじゃないですか。もう、いつもこうなんです。困るのは私なんですよ」
当時、ジョバナは名護市役所を辞めて、浦添の言語コールセンターで働いていた。

両親が沖縄に戻って数日後、彼らはジョバナに誇らしげに一枚の紙を差し出した。

「これ、見て。契約したの」

ジョバナは、両親が飲食店をやろうとして店舗を探していたのは知っていた。一緒に見に行ったこともあった。そのときに念を押していた。

「大きい店はダメ。テイクアウトだけにしたらいい。私は働いているのよ。手伝えないからね」

なぜなら、「あの二人は日本語が話せないのに、どうやってお店をやっていくんでしょ。どうせ、私に回ってくるのはわかっていますからね」とジョバナ。

契約書を見ると、驚いたことにジョバナの義理の親が保証人だった。

「旦那の両親も日系ペルー人だから、ウチの親とすごく話が合うわけ。あの人たちは、保証人がどうなるかわかっていないんです。それでも、お父さんとお母さんは『がんばる』と言っているのでやれるだけやらせてみようと思いました」

ところが、契約したという店に行ってみるとボロボロ。天井からはさまざまなものが落ちてくる状態だった。それでも親類に「お店やることになってさあ」と話すと状況は一変した。平良家の兄弟十一人、孫たちまで集まって来た。赤ちゃんを連れてまで来た。

「皆が一斉に大掃除しはじめたのです。また、サルサさんが、テーブルから食器やナイフやフォークまですべて寄付してくれたんですよ。それらがなかったら、この店はオープンできなかったです」

サルサさんとは、ペルーレストラン「Salsa（サルサ）」のオーナー姉妹のこと。彼女たちは、ちょうど店を閉めていて、倉庫に寝かせていたものを寄付してくれた。この時点で、彼女たちは店を出す計画があったが、そのことは何も言っていなかった。後日、姉妹は場所を変えて店を再開。そのときに一部を返却したが、「ティティカカ」では、いまだにもらったものを使っている。

現在、店の壁に飾ってあるペルーの民芸品は、すべて親類や日系人たちが自宅にあるものを持ってきてくれたものだ。

「沖縄にルーツのある日系人たちのパワーはすごい。本当に感謝してもしきれません」

二〇一三年、資金がないのに「ティティカカ」は、オープンすることができた。店名は、ボリビアとペルーにまたがるティティカカ湖から命名。「ボリビア出身のお父さんとペルー出身のお

ペルーを代表する魚介マリネのセビーチェやジャガイモの料理
パパ・ア・ラ・ワンカイナ

母さんがつくった店だから」とジョバナ。

とはいえ、開店当初は、混乱続きだった。

「両親二人だけでスタートしたものだから、私の職場であるコールセンターに電話がかかってくるんです。『お客さん来るさ、言葉通じないさ』みたいな感じで（笑）」

コールセンターでは個人の電話の持ち込みは禁止されていた。それで休憩時間にケータイを見ると着信がいっぱい入っている。毎日がこの連続だった。

何しろ、日本語ができない二人だから、業者に肉を注文するが通じない。あるとき、母親から助けてくれとの電話があった。出汁を取るための廃鶏の注文をしていたが、父親は「チキンのおばさんちょうだい」と電話していた。業者は「チキンのおばさんって何ですか?」とまったく通じない。ジョバナが電話に出て「廃鶏のこと。おばあちゃんになったチキンのことです」と説明をした。こんなことの繰り返しだった。父親は、英語を話すことができるので基地の人などの接客はよかった。だが、日本人が来て「持ち帰りお願いします」と言われるとわからなかった。そのとき、父親はこう言って確認した。

「どこで食べるのか」

「車の中か、おうちで食べようと思います」とお客さんは真面目に答えていた。この会話をジョバナは厨房で聞いて大爆笑。すかさずお客さんのところに行って「すいませんね、お持ち帰りですよね」と対応した。

「毎日がこんなだったんです。上の子どもは二歳で、お腹には二人目がいたんです。仕事が終わると、保育園に迎えに行き、すぐにお店に来て手伝っていましたから、もう私はクタクタ」

そんな状況だったので、長崎の建築会社に勤めていた妹に「あんたの人生の二年ほど貸してくれないか」と応援を頼んだ。妹は会社を辞めて店を手伝いはじめた。約二年が過ぎて、ちょうど勤務していた会社が沖縄で子会社を興したので、妹はそこで仕事に復帰。今度はジョバナにバトンが渡された。オープンして七年目だった。このときからコールセンターを辞めて店に専念することにした。

開店当初、「ティティカカ」は夜の九時まで営業していた。夕飯時はお客が行列をつくるくらい繁盛していた。当時は、ペルーレストランが少なく基地の軍人や日系人が多かった。一日十万円は売り上げていた。

その後、日本人も少しずつ増えて「雑誌に紹介されていたよ」と知らせてくれる。沖縄の基地には中南米出身の軍人が多く、彼らはスペイン語を忘れているが、「懐かしい味。おばあちゃんの味がする」とすごく喜んで食べてくれる。なかでも人気なのは「ローストチキン」と、牛肉と野菜の炒め物「ロモサルタード」。ペルーのローストチキンは、非常に手間がかかる。母親とジョバナの二人で料理をするが、メインは母親だ。朝の八時過ぎには厨房に入って仕込みをしている。

優先するのは子どもたちの将来

ジョバナは、授業を終えた二人の子どもを迎えに行き、そのまま店に連れて来て、店の隅に座らせていた。ときには二人ともそこで寝てしまうこともあった。

「お店は儲かるかもしれないが、私と子どもたちの時間がまったく取れない。私が続けてこの店を手伝うのなら、営業時間を十一時から午後の二時にしてね。その代わり、子どもたちが大きくなったら、何時まででも働くから」と母親に願い出た。

三時間だけの営業時間では、もちろん儲けは出ない。それまでは週末も営業していて、月曜だけが定休日だった。しかし、それを続けていると、子どもたちは、あっという間に大きくなってしまう。ジョバナは夫に相談した。すると夫は言った。

「お母さんが仕事を続けられるのは、長くてもあと十年くらいでしょ。だったら儲けがなくても、この店を閉じずにお母さんにやってもらいなさい。これしかないはず、親孝行は。あとオレががんばるから」と非常に寛大だった。

「旦那にも感謝だし、お母さんもこの店をやっていなかったら、お家に閉じこもっているだけ。心臓の手術を三回くらいしているが『お客から、おいしかったと言われると元気がでる』と言っているのでギリギリでもやっていこうね、となったのです」

三時間営業になってから「一日三時間なんて、こんなふざけたお店あるか」と言われたこともあった。「すいません」と謝るだけだとジョバナ。

そもそも、なぜ営業時間を二時までにしたのか。子どもたちが学校から帰って、店にいるときに、ジョバナは子どもたちが飽きないように英語、日本語、スペイン語で課題を出していた。すると子どもたちは間違うことなく解答した。それなら、と、そろばん、空手、ギターも習わせた。するると、これらもすべてこなすことができた。

「これは無限だ。お金と時間があれば、子どもたちは、どれだけのものを吸収することができるか。このまま、この店で過ごしていたら、子どもたちの才能を伸ばしきれないだろう、と切実に思ったのです」

それが営業時間を二時までにする理由だった。

「いまの私の夢は、子どもたちです。二人とも小学校はインターナショナルスクールに通わせました。三カ国語を話すことができます。いま上の子は中学一年で那覇の沖縄尚学に行っているんですよ。ここは英語が強く中学高校一貫校です。英語は上のクラスに入ることができ、大学はアメリカを選べます。小学四年生のときから、助産婦とか小児科医になりたいと言っているんですね。だから医学系の大学に進むでしょう」

片や、下の男の子は小学四年生で十歳。

「彼は、ものづくりが好きでエンジニアになりたいと言っていますが、何のエンジニアになりたいかはわかっていません。店にいたときは、段ボールとハサミとノリを与えると、集中して何かつくっていました。ゲームなど一切あげませんでした」

いま、ジョバナはすべての時間を子どもたちのために使っている。

「子どもたちを見ているとおもしろいし、楽しいです。こういう充実した気持ちになったのも大学に入ってからです。私の場合、時間かかりましたね。でも、沖縄に来て本当によかったと思います。一応、日本に帰化したけれど、国籍はもう日本でもペルーでもどうでもいいです」と笑っていた。

生まれ故郷と沖縄へ
ペルー料理で感謝の心を届ける

目差武博とパトリシア（中）と姉のアナ。武博は、毎日
仕事場からランチを食べに「サルサ」に来ている

ペルー料理＆ピザ

Salsa（サルサ）　沖縄県沖縄市美里

目差 パトリシア

三世、1969（昭和44）年生まれ

Salsa（サルサ）とは、スペイン語でソースの意味。もう一方で、サルサ・ミュージックやサルサ・ダンスで知られる音楽ジャンルの一つでもある。

レストラン「サルサ」は、那覇と名護を結ぶ国道三二九号沿いにあり、イラスト入りの看板が車からもパッと目に留まる。オーナーは、日系三世の目差パトリシアと姉の島袋アナだ。

開店前の慌ただしい時間にもかかわらず、パトリシアは快く、ペルーでのこと、沖縄に来たときのこと、そして店をオープンするまでのストーリーを語ってくれた。

「日本語は上手じゃない」と言っていたが、どうしてどうして早口で途切れることはなかった。

大好きなネネと一緒に沖縄へ

「今帰仁（なきじん）村出身のおじいちゃんと糸満市出身のおばあちゃんは、戦前にペルーへ渡った。でも、ペルーで何をしていたか聞いてないね。両親はペルー生まれの日系二世。だから私は三世。お父さんは一九二七年生まれで、ママは一九三六年生まれ。自分は一九六九年にリマで生まれた」

「サルサ」の店内。壁の絵は、開店の時に自分たちで描いた。
材料は100円ショップで購入。卵の殻も使い額縁はコーヒーで染めた

パトリシアの旧姓は島袋だ。母親は専業主婦で、父親は自営業で灯油を販売していた。兄二人、弟一人、姉のアナとの五人兄弟姉妹だ。沖縄に来る前はリマ地区のスルコ（正式にはSantiago de Surco）という町に住んでいた。日系人は、島袋家だけだった。

「私たち兄弟は、小学校から高校までは、地元の小さな私立の学校に通っていた。外国人というのではなく、普通に友だちと仲良くしていた。あだ名は、チーナとかチニータだったけど、別に嫌な感じはしなかったね」

ラテンアメリカでは、よく東洋人に対して、チーナ（中国人女性）とかチニータ（中国っ子）と言う。おおむね差別的な言葉としてではなく、親しみを持って使われている。あるいは、

piropo（ピローポ）といって、男性が通りすがりの女性に投げかける褒め言葉の場合もある。なかには東洋人をからかい「チーナ」、男性には「チーノ」ということもある。日本の旅行者や駐在員は、必ずと言っていいほど街中で、これを投げかけられ「私は、チーノあるいはチーナじゃない」と不快感をあらわにする。

だが、パトリシアのように、すっかり現地に馴染んでいる日系二世、三世ともなるとチーナと言われることに違和感を感じていない。むしろニックネームとして親近感につながっている。

パトリシアがアナと一緒に日本に来たのは一九八六年。先に東京に来ていた二人の兄を頼ってのことだった。

「ちょうどネネ（姉）が大学を卒業、自分も高校を卒業したので日本に来た。ペルーの治安がひどくなったのでね。ママとお父さんは、弟がまだ高校生だったのでペルーに残っていたんです」

当時のペルーは、ハイパー・インフレで左翼ゲリラが勢力を伸ばし、治安が悪化していた。この頃、多くの日系人が日本に戻ってきていた。

日系二世のアルベルト・フジモリが大統領に就任したのは一九九〇年。パトリシアたちが日本に来た四年後だった。

来日して一年後、パトリシアたちは沖縄に来た。母親の兄が那覇にいたので、そこにお世話に

1987年、ペルー・リマの高校の卒業式。友人と一緒に作詞・作曲した
「別れの歌」を歌うパトリシア

なった。

「ママのお兄さんはもともと沖縄にいたんです。ママはお兄さんの顔も知らなかったけれど、こういうお兄さんがいるよ、と自分たちに言ってくれたんです。日本語の話せるママのお姉さんたちがペルーにいて、手紙でママのお兄さん、私からすると伯父さんと連絡を取り合っていたんですね。それで、まずは伯父さんの家に行ったのです」

一カ月後には、伯父の家を出て、二人で那覇市宇栄原にアパートを借りて豊見城の土産物をつくる工場で働きはじめた。生活用品はまったくなかったが、アルバイト代から少しずつ揃えていった。しかし、日本語がうまく話せず、二人だけの生活が心細くて幾度となくホームシックに陥っていた。

「ありったけのお金を数えても、ペルーまでの飛行機代に届かない。悲しくなって泣いたこともあったね」

そうこうしているうちに、パトリシアは那覇市内に定時制高校のあることを知った。

「ネネは、私がまだ十七歳だったので、勉強した方がいいと言ってくれた。ネネとは七歳しか離れていないけれど、いつもお母さんみたい」

そうした姉の助言もあって、パトリシアは、朝八時三十分から四時まで土産物店で働いて、県立那覇商業高校の定時制に入学することにした。

何でも「はい、私やります」

入学当初、日本語はまったくわからなかったが、「高校での生活は楽しかった」とパトリシアは言う。一年生のときには、弁論大会に参加してペルーの話をした。すると、おもしろいということで、県の高校定通制生徒生活体験発表会にゲストとして呼ばれた。そのときは四年生が優勝した。しかし、四年生になって先生から「あんた、もう一回やりなさい」と言われて同じ発表会に参加して最優秀賞を獲得。その年、沖縄県の代表として全国大会に出席するために東京まで行った。このときのタイトルは「〝やればできる〟を支えにして」だった。〝やればできる〟は、いつも父親に言われていた言葉だった。

「内容は、沖縄に来てから体験したことや感じたことだったね」

例えば、慣れない日本の寒さで風邪をひいて、両親が話していた言葉を思い出して、薬を買いに行ったが、まったく通じずに買うことができなかったこと。後に、両親の話していたのはウチナーグチだったので東京の人に通じるわけがないよね——などだった。

3年生のときに英語スピーチコンテストで入賞

このときは三位に選ばれて労働省労政局長賞を授与された。

「若いときは、わからなくても『やる。私やる』という積極的な性格だったね。文化祭でもペルーの歌を歌ったり、民族舞踊音楽のマリネラやウァイノなどを先生たちやクラスメイトにも教えて『皆、ダンスしましょう』とけしかけていた。先生たちもすごくおもしろがっていたね。よく、ペルーの日常の話をして、すごくおしゃべりだった。皆から『陽気だね』と言われていた。なんでも知りたがったし、いま、振り返ると自分はおもしろい人だったなと思いますよ」と照れくさそうに笑った。

同級生とカラオケに行ったこともある。

「その頃は、カルチャーショックというのはなかったね。夜の九時まで授業があったけど、楽しすぎて学校を休んだことなかった」

パトリシアは、子どもの頃から好奇心が旺盛でなんでも挑戦しようとしていた。ところが、父親は「女だのに何でこんなことするか、とか昔の考え方をする人ね。ちょっとマッチョだった」。

それだけに、沖縄に来てからの姉と二人の生活は、好きなことができる、自由になったと大いに羽を伸ばして過ごしていた。言葉も日常生活においては、かなり不自由なく話せるようになっていた。

しかし、遊んでばかりではなかった。数学も簿記も、そろばんも習った。全部辞書を調べながら一生懸命に勉強した。

「簿記などまったくわからなかったけど、皆の真似をして三級を取った」

国語の先生からは「教えるからお家に来なさい」、校長先生も教頭先生からも「頑張りなさいよ」といつも応援されていた。

姉妹に遅れること一年、パトリシアの弟のグスターボも沖縄に来て、同じ定時制高校で勉強していた。高校定通制生徒生活体験発表会では、パトリシア同様に最優秀賞に選ばれた。また、一九九一年には二人とも英検一級に合格している。

「英語はそんなに得意ではなかったけど、自分がなんでもやりたがるから、その場でワーと勉強するんです。そうそう、弁論大会のときも、日本語はあまり上手でなかったけど、朝から夜までずっと勉強して暗記して、わからないことがあったら、すぐ先生のところに行って、片言の日本語で『私、こんなことを伝えたいんだけれど、どんな単語を使ったらいいの』と聞いた。先生がいいアドバイスをしてくれたおかげで受賞したね。陽気で、素直な子だったなあとつくづく思います。自分は、十七歳で沖縄に来て、アドベンチャーな気持ちがあったね。泣いたこともあったはずだけどみんな忘れた」

高校時代の活躍は、たびたび新聞で取り上げられた。そうした実績があったため、日本国籍を取るのは困難でなかった。

ネネを追って東京の工場へ

そのうち、姉のアナは、東京に行って、大田区蒲田にある大手自動車会社の部品下請け工場で働きはじめた。パトリシアが那覇商業高校を卒業するときには、両親も沖縄にやってきた。

高校の先生たちは、成績のいいパトリシアに「推薦できるから大学へ進んで勉強を続けた方がいい」と勧めていた。

「でも、私はネネが大好きだから、自分も東京に行きたい。それにお金もなかったし……。大学に行かなくて工場で働いてもかまわない」

こうして、パトリシアはアナの後を追って東京へ行くと決めた。

アナは、パトリシアが東京に来たいというので勤務している会社の社長に相談した。

「妹は、商業高校を卒業したばかりですけれど」

「だったら、社員として事務所で働いてもらう」

とんとん拍子に就職が決まった。

八〇年代末の日本は、バブル景気の真っ只中。大企業もさることながら、中小企業は喉から手が出るほど人材確保に必死だった。

「空港まで総務部長が迎えに来てくれたんですよ。もう、びっくりした。そして、面接して『ぜひ、ここで働いてください』と言われたんです。私、日本語はそんなに上手くないのに正社員として事務をやってくれと言うので、また驚いたね。それに面接のときも一旦、沖縄に戻ってまた東京に来たときも飛行機代は、会社が払ってくれたんです」

当時、ペルー人も働いていたが、まだ日本語を話せる人がいなくて、ジェスチャーだけでコミュニケーションをしていた。英語も日本語も話せるパトリシアは、通訳としても、貴重な人材だったわけだ。

「いまは、自分より日本語を上手に話すペルー人はたくさんいるね」と笑う。

この会社の蒲田工場では数百人の従業員がいた。多くの従業員は自動車部品の組立や組付け作業だった。だが、パトリシアは、品質管理の部署に配属された。しばらくすると、生産管理の担当者が辞めたので、その仕事をも担当するようになった。

「漢字は読めなかったけれど、何か武器を持たないと仕事を続けられないと思ったね。一生懸命に部品の名前と番号を覚えて、すべてを管理できていたんですよ。日本人でも全部覚えている人はいなかった。スピードも早かったね。これはニッサン、これはトヨタ、これはスズキとかね。あのときは、『誰がやるか』『はい、教えてください。私やります』と高校時代と同じようにやっていた。生理休暇を取った従業員の仕事も『いいよ、私がやってあげる』と代わってあげた。その頃、自分は彼氏もいなかったから必死に仕事をしていたね。だから、いろんな仕事を覚えた。社長も『ナオミちゃん、来て。これやって』と何でも頼みにきた。そうそう、私の日本名はナオミ。島袋・ナオミ＝パトリシアです」

ときには、事務所から工場に行って、部品のチェックもした。品質管理をやっていたので、どの部分を注視しなければいけないかわかっていた。また、部長とニッサンの本社に行ったり、パトリシア自身が運転して取引先に行くこともあった。

「電話がかかってくると『はい、ナントカ部長、電話入っています』とか『集計終わりました』とか偉そうに言っていた。いまはもう恥ずかしくてできない」と笑う。

この会社に六年間働いていた。その間は、会社の寮に姉と一緒に住んでいた。通常、正社員でない場合は、三人部屋だったが、パトリシアは正社員だったので、一人部屋が与えられていた。かなり、恵まれた待遇で働いていたわけだが、楽しいことばかりではなかったようだ。

「自分は、とっても変わった子だったと思う。自分が楽しかったら、誰かから怒られても、この人、今日は気分が悪いんだな、と気にしなかった。いじめられても気づかなかったんですよ」

なかには「オマエは、日本語ができないのに、なんで自分の机を持っているのか」という人もいた。あるいは「なんで、こいつが事務所にいるのか」という課長もいた。

しかし、「ナオミちゃん、よく仕事やってくれるね」とかわいがってくれ、かばってくれた部長もいた。

「怖いもの知らずというか、周りのことに何も気づいていなかった。人は人、自分は自分、だから自分の道を歩めばいいんじゃないの、と考えていた。歳とったいまは、よくこんなしてやってきたなと思うね。いまは恐ろしすぎる。あの頃は、何もわからなくて『はい、わたし、わたし』

と言っていたんですよ」

菓子店を手伝うために沖縄へ

九〇年代半ば、両親は、現在のうるま市の安慶名(あげな)で小さな菓子店「手づくりの店ディノス」を開いた。手づくりのペルー菓子でシフォンケーキやクッキーなどを売り出した。母親は、ペルーにいるときからケーキづくりが得意だった。父親はというと、ペルーで自営業だったので、沖縄でも自分で事業することをずっと望んでいた。ただ、店だけで売るのでは、利益が上がらないとみて、学校や大学、役所などの売店に置かしてもらうことにした。小さな商店にも卸すようになっていた。

当時、うるま市ではペルーのお菓子が珍しく、商売は順調に伸びていった。

「店が忙しくなったので、ネネはママたちを手伝うために、会社を辞めて沖縄に戻ったのです。その一年後、一人だと寂しすぎるので、自分も沖縄に戻りたいと社長に言ったんです」

この頃、すでにバブル景気は崩壊していた。パトリシアの勤めていた会社も、蒲田工場を閉鎖することになっていた。

パトリシアは、社長ではなく、大井町工場にいる会長に呼び出された。

「あんたは正社員だから、他の工場に移動できるよ」と引き止められた。

「一人だと寂しすぎるので沖縄に戻ります」

こうして、パトリシアは会社を辞めて、家族のいるうるま市に戻った。姉同様に両親の店でケーキやクッキーなどをつくっていた。しかし、夜明けと同時に菓子の仕込みに入り、夜も遅い。週末も仕事に追われた。

それよりも耐えられなかったのは、当時、安慶名は地方の商店街だったが、畑も残っていて、六年も東京で過ごしたパトリシアにとって、あまりに静かすぎて退屈な街だった。

「自分は都会人になりすぎていたね。もう、ここにはいられない」

実は、蒲田の工場で働いていたとき、週末にはペルー人と一緒にバンドをやっていた。

「Bahia Sur（バイア スウル）というバンドで、メンバーはペルーでプロとしてやっていた人たち。週末には、本厚木のペルー料理レストラン Arco Iris（アルコ イリス）でライブをやっていたんですよ。自分はあまり上手でなく、下手だったけれどボーカルとコーラスを担当していた。本当はバンドのメンバーにメインのボーカルもいたけれど、女性もほしいということで私が。楽しかったですね。お小遣いももらえたし……」

パトリシアは、当時を思い出して「仕事とバンドで忙しかった。若かったからできたんだね。また、たくさんの在日ラテンアメリカ人と親しくなった」と懐かしそうに語った。

一九九一年、在日ブラジル人を対象にインターナショナルプレス社（ＩＰＣ）から『インターナショナルプレス』ポルトガル語版の新聞が創刊された。その三年後にはスペイン語版も出た。一九九五年には、ＩＰＣがアイピーシー・テレビジョンネットワーク社を設立。ＣＳ放送「ＩＰＣブラジルチャンネル」と「ＩＰＣスペイン語チャンネル」を開始することになった。パトリシアは、友人たちからこうした情報を得ていた。その矢先、『インターナショナルプレス』スペイン語版で求人募集を見た。すぐに姉に言った。

「私、東京に行きたい」

「だったら行きなさい」

パトリシアは、沖縄に戻った数カ月後には、また東京に舞い戻っていた。面接を受けて採用され、カスタマーセンターで働くことになった。日系人のカラオケ大会やイベントがあるときには、スペイン語で司会をやった。アイピーシー・テレビジョンネットワークのＣＭのナレーションもやった。

「この頃は、すごく楽しかった。でも一人暮らしで寂しかった。それで四年ほど勤めていたけ

（左）1997年、アイピーシー・テレビジョンネットワークでナレーターの仕事。
（右）1997年にオスカー・デ・レオンが来日、川崎のクラブチッタでライブを行ったときに通訳として活躍したパトリシア。オスカー・デ・レオンはベネズエラが生んだサルサの大スター

IPCで友人とアルベルト城間（右2人目）とパトリシア（右）

れど、沖縄に戻ったんです。それからはずっと沖縄です」

余談になるが、一九九六年十月にＩＰＣスペイン語チャンネルがスタートした。その二カ月後、在ペルー日本大使公邸占拠事件が発生。ＩＰＣには、ペルーの地上波テレビ局から衛星放送で現場の映像が次々に入ってきた。ＩＰＣスペイン語チャンネルでは通常番組を中止して、そのまま現場中継を二十四時間流し続けた。日本の民放テレビもＩＰＣから提供されたライブ映像に日本語解説を載せて流し続けた（『飽くなき挑戦者 村永義男』日経事業出版センター発行。村永義男はＩＰＣ創業者）。なお、ＩＰＣスペイン語チャンネルは、いくつかの変遷を経て二〇一九年放送を終了している。

レストランをやろう

パトリシアは、沖縄に戻って、また両親の店の手伝いをしていた。

ＩＰＣにいたときに、ペルー料理店の「アルコ イリス」や五反田の「アルコイリス・ベンボス」へよく食べに行っていた。店が忙しいときには片づけの手伝いもしていた。そんな経験から「レストランっておもしろいなあ」という印象をずっと抱いていたのだ。料理には自信を持っていた。

オリオン・ビアフェストでボーカルとコーラスで参加したパトリシア（左）

いつしか「自分もレストランを経営したい」と思うようになっていた。

そうした折、うるま市にあるショッピングセンター「サンエーメインシティ」の隣が立ち退くという話を聞きつけてきた。

パトリシアは姉に言った。

「レストランをやりましょうよ」

姉は両親の店を手伝っていたが、妹の誘いに二つ返事で引き受けた。両親に立ち会ってもらい、そこを借りることにした。「手づくりの店ディノス」は、娘二人の働き手がいなくなるので、両親だけでは立ち行かず閉店。その代わり、新しいレストラン名は「Ｄｉｎｏｓ（ディノス）」とつけた。メイン料理は、東京のペルーレストランで覚えた料理やペルー時代から家でつくっていた家庭料理だ。

そして、二〇〇五年に「ディノス」はオープンした。

このとき、運命的な出会いがあった。最初に来店した人、それがパトリシアの夫となる目差武博だった。

「彼は、ちょうど内地（本土）から帰って来たばかりで、店の真向かいのアパートに引っ越して来たんです。『どんな店かな、ペルー人はどんなのを食べているのかな』と思って来たと言っていました」

というのも、武博が働いていた建設会社の従業員のなかにペルー人の設計士と大工がいたからだった。この建設会社は、父親が立ち上げたもので現在は武博が社長になっている。

「彼は、毎日食べに来ていたね。最初は、友だちだったけど何回もデートに誘われた。最初にデートしたのは、ラテンバー・サルサ。彼は、私に黙ってサルサのレッスンに通っていたんですよ。私を誘うためにね（笑）。かわいいでしょ。自分より八歳年下ですごくいい人。彼は、日系人でないし、南米に行ったこともないけど、いまでもとっても仲いいの」

結婚後もパトリシアがメインとなって店を切り盛りしていた。料理だけでなく、ウエディングケーキも自分でデザインしてつくっていた。両親が菓子店をやっていたときに、パトリシアは何

2005年3月の結婚式。結婚式前夜に自分でつくったウエディングケーキ。
ドレスの飾りも自作

結婚式での島袋一家。左が両親、姉と兄２人と弟

度かペルーに帰って、一、二カ月ウエディングケーキの教室に通って勉強していた。ペルーのケーキは何段ものタワーになっていて、在日ペルー人だけでなく、日本人のお客さんや結婚式場からの注文もあったほど人気があった。

「ときには、三〇〇人分のケーキをつくったこともあるね。友だちから、どうしても結婚式は『パトリシアのケーキで飾りたいから』と頼まれて、東京まで行って、つくってセッティングもした。それから長野にも行ってつくってきましたよ」

パトリシアたちがつくるペルー式ケーキは、酒や生クリームを使っていないので、数日前につくりおきすることができる。だが、新鮮さを保つためにできるだけ間近になってつくるので、前日は徹夜だ。ドイツケーキのようにナッツ類がふんだんに入っていて、一七〇度から一八〇度の低温で時間をかけて焼く。その間、オーブンから離れることはできない。当時、大きなケーキ型を日本で見つけることができず、アメリカやペルーから持ってきたものを使っていた。

「ネネと二人でよくつくったなと思いますよ。当時は、二、三〇〇人分のケーキを頼まれたら『はい、できますよ』と簡単に引き受けていた。二人とも若かったからね。疲れたと言ったことがない。徹夜でもできよったね。だけど、いまはもうできない。頼まれたら断ります（笑）」

パトリシアは、自分の結婚式のときも、ウエディングケーキから招待者三五〇人分のケーキもすべて自分で焼いてカットして箱詰めした。義理の母親が言っていた。

「結婚式の前夜十二時に、まだケーキをつくっているお嫁さん見たことない」

やがてパトリシアは妊娠した。

「ディノス店は四十五席あって、いまのサルサ店の倍の広さもあったんです。休む暇なく働いていたからかな、流産をしてしまった。だから、自分はもう店をやっていけない、とその二週間後に突然店を閉めてしまったんです」

後に聞いた話だが、多くの客が「食べに来たら、お店がなくなっていた」とショックを受けたそうだ。店舗が大きかっただけに家賃も高く、経営的に厳しいという理由もあった。オープンからわずか四年しか経っていなかった。

もう一度夢を
やがて長女が生まれ、長男も生まれた。その間、子育てに専念しながらも、ジッとしていることはできず、紙紐でパトリシア自身がデザインしたエコバッグをつくって、知人に販売していた。
そして、二番目の子どもが四歳のときだ。

当時、パトリシアの兄が持ち帰りピザの店をやっていたが、経営が芳しくなく、閉店するという。沖縄市美里にあるいまのSalsa（サルサ）店だ。

「だったら、私がその店を借りようね」

パトリシアは、もう一度ペルー料理店をやろうと決断した。なぜなら、うるま市にあったディノス店は、自宅とさほど離れていなかった。そのため、スーパーマーケットなどで以前の常連客とよく出くわしていた。

「あのペルー料理をまた食べたいなあ」

「また、レストランやればいいのに」

こんなことを、たびたび言われていた。

当時、姉は結婚したが離婚、パンやそばを製造しているオキコに勤務していた。パトリシアがレストランをはじめるのを機に退社し、再度、一緒にレストランをやることになった。

パトリシアは夫にも相談した。すると「いいんじゃない。自分のやりたいことだから。やればいいじゃん」と非常に優しかった。

こうして、兄のピザ店からペルー料理店に店内をリフォームしていった。すると、通りかかったディノス店の常連客が声をかけてきた。

日本人に人気のペルーの家庭料理「牛肉の煮込み（コリアンダー風味）と豆の煮込み」柔らかく煮込んだ牛肉と豆、玉ねぎサラダとの相性抜群の逸品

「あれ、もしかしてやるの」

「そうよ、やるよ」

「いいね。じゃ、オープンしたら来るね」

などと、開店前にもかかわらず噂を聞きつけた人たちが立ち寄ってくれ、姉妹を大いに喜ばせた。

そして、二〇一四年に「サルサ」はペルー料理とピザの店としてオープンした。

ある米軍人の客は、「サルサ」に入るなり、「パトリシア、何でこの店にいるの」と驚き、「そうか、また、あなたの料理を食べられるんだ」とはしゃいでいた。

「開店して、一番嬉しかったのは、お客さんと再会できたこと」とパトリシア。

来店客は、基地の人や、南米旅行したことのある人、五十年前にマチュピチュに行ったという人もいた。または、アルゼンチンに兄弟がいるが、同じ南米だから来たという人も。あるいは、叔母がブラジルにいるから来たと、なにかしら南米とつながりのある人が多く訪れる。

「ペルー料理のセビーチェ（魚介類のマリネ）やアンティクーチョ（牛ハツの串焼き）、それから豆料理は日本人の口に合うね。前の店のときは、よくわからなかったから、業者に勧められて普通のお弁当屋さんに出しているお米を買っていた。だけど、お客さんにおいしくないと言われたことがあった。でも、いまは違う。勉強して、コシヒカリがいいとか、日本人がおいしいというのを使っている。できるだけ沖縄県産の食材を使っているし、前と比べたら、ずっとずっとこだわりが強くなっている。香辛料や調味料はペルーのもので、東京の輸入会社から仕入れています」

オープンして四年過ぎたいま、常連客から「お店をもう少し大きくしてよ」「貸し切りたい、予約したい」という声が絶えない。でも、「小学六年と四年の子どもがいるので、いまは、これ以上大きくすることは考えていない」とパトリシアははっきり言った。

ペルー料理は、意外と手間がかかる。アンティクーチョは牛ハツの脂を削り取るなど時間がかかるし、煮込み料理は、ゆっくりゆっくり三時間ほどかけて調理しなければならない。

「ピザは、パートさんがつくってくれるけれど、ペルー料理はネネと私の二人だけでつくる。

昨日は、仕込みなどで夜の一時半まで店にいたかな」

それでも夫の武博からは、「何でこんな遅くまでとか、何でこんな長い時間とか一切言われたことない。オープン当初は日曜日も働いていたけど、旦那が子ども面倒を見てくれたね。旦那がサポートしてくれるので自分は働ける。ホントに優しい」とパトリシアは嬉しそうに語る。

数年前に、パートとしてスペイン語のできる人を募集すると、ペルー人とアルゼンチン人が応募してきた。彼女たちはよく働いてくれて、姉妹のよき友だちになった。

だが、パトリシアは、彼女たちにいつも言っていることがある。

「自分たちは、ピザや料理を売っているんじゃないんだよ。思い出をつくっているんだよ。単なるピザやチキンに見えるかもしれないが、このチキンは誕生日に食べるかも知れない。それを食べてどんな思い出が残るのか。だから愛情を込めてつくりましょう」

時には、チキンなど少し焦げて、客に出していいものか微妙なときがある。こんなときは、客を待たしてでもつくり直すことに徹している。

「お客さん、ごめんなさい。ちょっと焦げちゃったんですが、もう一度つくります。ちょっと待ってくださいね」

「ああ、いいですよ」と言ってくれるものの、「でも、怒っているかも知れないと心配していた。

だけど、そのお客さんは、また来店してくれたね。自分たちの心が通じたのよ」。

新型コロナが流行ったときのことだ。

「常連さんが手づくりのマスクを持ってきてくれたり、差し入れをしてくれたり、優しくしてくれるので悪いなと思っている。私はいつも厨房にいて、ネネが接客しているんですが、ネネはいつも『ほんとに、ありがとう、ありがとう』と言っているね」

二〇二〇年、一回目の緊急事態宣言が解除されたときも同様だった。

「自分が感動するくらい常連さんが戻ってきたんですよ」

そのなかには、ディノス店でバイトをしていた高校生たちもいた。彼女たちはパトリシアの結婚式にも出席してくれた。いまは三十歳になって結婚して子どももいる。

「パティさん（パトリシアの愛称）どんななの？」

「テイクアウトしかやっていないよ」

「インスタやればいいさ」

こう言って、同級生たちに声をかけてくれた。すると翌日、彼女たちの同級生と名乗る人が続々と来店してくれた。

「この仕事ってほんとに楽しいな、とあらためて思いましたね。心温まる仕事ね。自分の生まれ故郷の文化を、料理を通じてここで紹介できる。ペルーにも沖縄の人たちにも感謝の気持ちでいっぱい。そうした気持ちで自分たちは働いているんですよ。だから利益というより、この気持ちを一番大事にしている。毎日楽しいね。自分が疲れて働きたくないというのがない。子どもたちが病気で病院に連れて行くときなど、店を閉めることもあるけれど、それ以外は、遠くからみえるお客さんもいるので開けています」

パトリシアの話を聞き終わったとき、時計の針が開店の十一時を回った。すると、客が次々と来店。なかには日系二世の夫を持つペルー女性もいた。

「パーティーのためのケーキを頼みに来たの。ここで、パトリシアやアナと話をするのが、すごく気晴らしになるわ」

こう言って、しばらくパトリシアやアナとスペイン語で会話をして、別れ際にハグをして店を後にした。皆、幸せそうだった。

第三章　ブラジル日系人

ブラジル移民の歴史

一九〇八（明治四十一）年、笠戸丸による日本人のブラジル移民がはじまった。移民数は七七九人。そのうち沖縄県出身者は三二四人で全体の四三%を占めていた。ブラジルの場合は、家族を単位とする「構成家族」による移民だった。初期移民は、コーヒー農園に二年の契約で労働に従事。だが、過酷な労働条件に農園から夜逃げする人、農園から農園へと移動する人が多かった。

一九七九（昭和五十四）年から一九八〇（昭和五十五）年の移民調査（外務省）によると、戦前、沖縄県出身者のなかには、十五回以上も移動した事例が報告されている。契約期間を終えた人たちは、自作農として奥地の原生林を開拓、コーヒー、米、綿花、野菜栽培などに従事した。その後、本土移民同様に多くの沖縄移民は農村から大都市移動して縫製業や飲食業などを営み、多くの成功者を生み出している。

戦後、沖縄からの移民はブラジルが圧倒的に多く、一九五七（昭和三十二）年の一三八五人をピークに減少していった。

なお、ブラジル沖縄県人会は、一九二六（昭和元）年に設立されている。

維持していきたい
オヤジのエスプレッソとソーキそば
母のブラジル料理

山下明生夫妻。壁にはブラジル国旗に沖縄そばをアレンジした当店オリジナルの旗

ブラジル料理＆沖縄そば

ブラジル食堂　沖縄県名護市字宇茂佐

山下 明生

二世、1967（昭和42）年生まれ

あれ、どこかで見た覚えのある名護の「ブラジル食堂」。そうそう、ミュージックグループ・ケツメイシのアルバム「KETSUNOPOLIS 9」のジャケットだ。

ケツメイシのアルバム
「KETSUNOPOLIS 9」のジャケット

「彼らは冗談で『ブラジルでジャケットの写真を撮りました。でも、実は……』という感じで、ここをロケ場所に選んだようです」と「ブラジル食堂」のオーナー・山下明生は言った。

このアルバムが発売された後、来店客がドッと増えた。また、彼らが、毎年のように行う全国ツアーのファイナルコンサートは沖縄である。

「そのときはウチにもファンが押し寄せて、もうたいへん。でも、ありがたいですね」

来店客はケツメイシファンだけでない。サンバでも聞こえそうな店名とイラストの描かれた外観に惹かれ、美川憲一はじめ、スポーツ選手など多くの著名人も来店している。もちろん、料理の美味しさも定評だ。なかでも沖縄そばが人気。えっ、「ブラジル食堂」で沖縄そば？　むろん、ブラジル料理もあり、ブラジル豆のエスプレッソコーヒーは香ばしく、熱烈なファンが多い。沖縄そばとブラジルコーヒー、この意外な組み合わせは、「ブラジル食堂」のヒストリーにつながっていた。

オヤジは構成家族として契約移民

「ブラジル食堂」は、二〇二〇年に創業四十六年周年を迎えた。現オーナーの父親・山下利明が創業し、彼が亡くなった後、長男の明生が継いだ。

「オヤジの生まれ故郷は沖永良部島。戦争直前の一九三九年に二十六歳でブラジルに渡ったのです。契約移民だったそうです」

沖永良部島といえば、西郷隆盛が流刑された島として知られている。当時から島の基幹産業は農業だった。一九二〇年代から三十年代は、政府による移民政策が盛んに行われていた。戦前に、鹿児島県大島郡（沖永良部島は大島郡に含まれている）からブラジルに移住した人は、百二十世帯六百九十八人。おそらく、利明はそのなかの一人ではないだろうか。

「家は、農家で六人兄弟でした。五男だったオヤジは、農業が好きでなかったらしい。高校を卒業すると、すぐに外国航路の船員としてアルバイトをしていたそうです。沖永良部島は狭い島だから、大陸への憧れがあったんでしょうね。ブラジルに渡るためのアルバイトだったと聞いています。その後、オヤジの叔父さん夫婦、オヤジと六男の弟、この四名が一家族としてブラジルに渡ったのです」

当時、ブラジルへの移民は家族であることが条件であった。そのため、兄弟や甥を家族とみなして移住していた例が多い。こうした家族を「構成家族」と言っていた。

「ただ、弟には『ちょっと神戸に行こう』と騙してブラジルまで連れて行ったようです（笑）」

サンパウロ州Santos（サントス）の港についた山下家族は、契約していたコーヒー農園で働いた。そこでの過酷な労働は、さまざまな書籍や文献などで知れ渡っているが、彼らも例外ではなかった。

日本からブラジル移民が最初に送り出されたのは一九〇八年。山下家族が移住したのは、それから三十年もの月日を経ていたが、コーヒー農園での日本人移民の待遇はさして変わっていなかったのだ。

「あまりにキツいので、オヤジと弟は夜逃げしたんです。叔父さん夫婦を置き去りにしてね。

ブラジルサッカー選手・ロナウジーニョとブラジルマップが描かれている外壁

店内には、ブラジルナショナルチームのユニフォームがずらり

とんでもないですよね（笑）。もっとも、船員時代に世界を周って各国の港に降り立ち、それなりに世界を見てきていたんですね、オヤジは。それがブラジルに行ってコーヒー農園でしょ。夢が破れて逃げ出したのは当然のように思います。お洒落な生き方、今風にいえばカッコいい生き方が好きな人だったんです」

二人で夜逃げをしたはいいが、人に見られないように夜は延々と歩き、昼間は野宿した。しかし、逃げているうちに、弟とはぐれてしまった。どうにかサンパウロに着いた利明だが、それからは職を転々としていた。

ところが、偶然にサンパウロの写真館で働いていた弟と遭遇。その後、二人は写真関係の商売をするようになった。

しかし、第二次世界大戦が勃発し、日増しに激しくなっていった。ブラジルは連合国側だったので、当時の日本人は敵性外国人として迫害され、資産の没収や凍結をされた人もいた。利明たちは、日系ペルー人のように、米国内の収容所へ送還されることはなかったが、「若くてオシャレだったオヤジたちは、スパイ容疑で監獄に入れられたということです」。

戦後になって、利明はサントスの田舎町 Itariri（イタリリ）に落ち着き、日本人学校の教師になることができた。

「イタリリには沖縄出身者が多かった。だが、沖縄の人たちは方言を話すだけで日本語がわからない、と本土出身者に思われていたんです。幸いというか、山下という姓ですので、オヤジは本土の人と思われて教師になることができたそうです」

戦争で負傷した母、ブラジルへ

明生の母親・千恵は、一九二六年、名護市勝山で生まれた。六男三女の兄弟姉妹の末っ子だった。三人の兄たち、長男、次男、四男は、戦前に自由移民でブラジルに渡り、イタリリである程度成功していた。戦後、沖縄にいた姉二人はすでに結婚して、ほかの兄弟も家から出ていた。両親と千恵の三人は、名護に住んでいたが、戦渦の沖縄を知ったブラジルの兄たちが、三人をブラジルに呼び寄せるために沖縄にやって来た。このとき、不運にも千恵の父親がマラリアにかかってしまった。それで母親は看病のために沖縄に残り、千恵だけが兄たちとブラジルに渡った。一九五二年、千恵は二十七歳になっていた。

「実は、母は戦争中に負傷して右腕をなくしていたのです。多分、戦争の傷跡が色濃く残る沖縄ではなく、新たな人生を築きたかったのでしょう。ブラジルに行くことに何の躊躇もなかったそうです」

兄たちは、父親のマラリアが治ったら「両親を迎えに行こうね」と話していた。だが父親は治ることなく亡くなった。その後、兄たちは、母親を迎えに行き、父親の位牌を持ってブラジルに戻った。

「母の兄たちは、日本語学校で先生をしていた私のオヤジを知っていたんですね。母と見合いをさせ、二人は結婚したのです。このとき、オヤジは三十九歳になっていました。ずっと独身だったのは、逃げ回って職を転々としていた時期が長かったので、結婚どころではなかったと言っていました」

結婚後、学校教師の給与では生活が苦しかった。露店で八百屋を開き、夫婦で切り盛りしていた。やがて学校教師を辞めて、同じイタリリで「レストランバー・ヤマシタ」を経営しはじめた。ブラジルでいうレストランバーとは、ビリヤード台があって、そこでビリヤードをやりながら酒を立ち飲みするところ。酒は度数の高いカイピリーニャだ。料理は千恵がつくっていた。日系人向けには沖縄そばもあった。

「このレストランバーは、いつもお客さんでひしめき合っていたそうです。やがて姉二人が生まれて、長女姉さんとは十歳離れているが、三番目の子どもの私が生まれたんです」

そして、明生が一歳のときに「レストランバー・ヤマシタ」を売って、サンパウロに引っ越した。

「なぜ、繁盛していた店を売ってまでサンパウロに行ったか。イタリリは、あまりに田舎で娘たちにまともな教育を受けさせることができない。オヤジはこう考えたらしいのです」

サンパウロでは、スーパーマーケットを経営していたが、ここでも商売は大成功だった。

ちょうどその頃、母方の親戚から「沖縄に帰ってこないか」という誘いを受けた。

「オヤジは沖縄に帰りたいという望郷の念もあったんでしょう。それと一番の理由は、日本の教育が世界一だと思っていた人でした。子どもたちには日本の教育を受けさせたいという思いがあったんですね。この頃、長女姉さんは十七歳になっていました。このタイミングを逃したら、沖縄に家族全員で帰れないんじゃないかと考えたんでしょう。姉たちに彼氏ができる前にということもあったようです（笑）」

一九七二年、沖縄は日本に返還された。一九七五年には沖縄国際海洋博覧会も開催される。利明の決断は早かった。一九七四年、六年間も経営していたスーパーマーケットも自宅も売って、山下一家五人は、日本に向かいサンパウロを後にした。

一九六〇年代後半のブラジルは、軍事政権により外国資本の導入や輸出を奨励したことで「ブラジル経済の奇跡」といわれる高度経済成長をもたらした。しかし、一九七三年に起きた第一次オイルショック後、経済は低迷していった。

利明は、ブラジル経済の先行きを漠然とだが嗅ぎとっていたのだろうか。第二次世界大戦を挟んで三十五年間もブラジルで生活をしていたので、何か感じることがあったかもしれない。

国道沿いに「ブラジル食堂」を開業

羽田空港に着いた一家は、羽田から鹿児島まで鉄道で、そこからフェリーで利明の故郷である沖永良部島へと渡った。滞在先は、利明の兄の家だった。明生は七歳だったので、よく覚えていないという。

「オヤジとしては、本当はコーヒー専門店を開きたかったのです。でも、沖永良部島は人口が少ないから成り立たない。それに、親戚からは農業をやらんといけないという話が持ちあがったそうなんです。オヤジは、また嫌いな農業かと（笑）」

そうしたこともあり、数週間後には母方の親戚を頼って名護市宮里に移った。名護でもコー

開業当時の「ブラジル食堂」。沖縄国際海洋博覧会が開催された1975年

ヒー一本では商売にならない。結局、親戚の「そば屋をやれば、食うに困らない」という助言もあり、ブラジルでの経験も生かせるということで、「ソーキそば屋にしよう」と決めた。

数カ月後には、母の義理姉の知人から名護市屋部に店舗を借りることができた。国道四四九号の道路沿いだ。ブラジルから帰還した同年、早くもそば屋を開業することができた。店名は「ブラジル食堂」。

この食堂が爆発的に当たった。というのも、翌年が海洋博だったので、建設工事が急ピッチで進められていた。工事現場に向かうトラックや車などは、国道四四九号を通って行く。当時は、近辺に食事処があまりなかったので、工事関係者の多くが「ブラジル食堂」を利用した。利明は、その状況を見て、今度はお弁当をつくりはじめた。すると、朝、誰もがお弁当を買って工事現場に行くようになった。

「母が朝早くからおかずをつくっていました。姉たちはもちろんのこと、私も七歳でしたが手伝った覚えがあります。ご飯と梅干しを詰めただけですがね（笑）」

開店当初は、ブラジルでつくっていたように、そばは利明が手打ちした。それもつかの間、手打ちでは間に合わなくなり、業者から購入するようになった。しかし、出汁はこだわって鰹節と骨付きの豚バラ肉を使い、濃厚な独自の味をつくり出していた。お弁当のおかずはブラジル風の肉料理を入れた。立地がよかっただけでなく、料理にもかなり力を入れていたので、工事の人たちにはたいへんな人気だったようだ。

「ただ、あきらめが悪いオヤジで、そば屋でありながらコーヒーを出していたんですね。ブラジルの生豆を輸入会社から買い入れ、自家焙煎したエスプレッソです」

生豆を個人輸入すると質が悪かったり、大きさも均一でなく、フレッシュでない場合があるので輸入会社から入手していたのだ。

「その頃、エスプレッソマシンがなかったので、ドリップで出してポットに入れてお客さんに出していたんです。でも、そば屋でコーヒーを飲む人はいませんよね。毎日、自分たちで飲んで

1978年にはブラジルコーヒーの看板を設置

いました（笑）」

ところが、沖縄タイムスに「そば屋だが本格的なコーヒーが飲める」という記事が載ると、コーヒー好きな人たちが来店するようになった。

「なぜ、オヤジがここまでコーヒーにこだわったかというと、日本へ一時帰国した際に、飛行場で飲んだコーヒーがあまりにまずかった。だから、ブラジルの本場のコーヒーを日本の方々に味わってもらいたいという思いがあったんですね」

当時、日本のコーヒーはアメリカンコーヒーでエスプレッソはほとんど見られなかった。山下一家が帰還した頃に、やっと日本でもエスプレッソが出はじめた。沖縄では唯一ヒルトンホテルだけがエスプレッソを扱っていたが、それもしばらくするとメニューから消えていた。

「オヤジは明治男でしたから『こんな小さいカップで三〇〇円なんて』と言うお客さんに『文句言うなら帰れ』と言ったとか（笑）。また、あるお客さんが、コーヒーを飲まずに新聞を読んでいたら、『新聞を読みに来たのか。コーヒーは逃げないから、読み終わった後に注文しろ』とも言ったようです。頑固なオヤジでしたね」

こう明生は、懐かしそうに父親のことを語った。

すぐに覚えた日本語　すべて忘れたポルトガル語

姉二人と明生は、日本に来た当初、日本語はまったく話せなかった。長女は、高校生だったが小学五年に、次女も三学年下げて入学していた。

「私は、本来二年生だったが、一年生として入学しました。私は、日本語をすぐ覚えましたが、逆にポルトガル語を忘れました。姉さんたちは、授業についていけなくて、苦労していましたね。ある日、私は姉二人に手を引っ張られて、両親の前で土下座させられ『ブラジルに返してください』と懇願したのを覚えています。姉たちにとってカルチャーショックが大きかったんでしょうね。向こうではピアスをして、ミニスカートをはいて学校に行っていたが、こっちでは制服を着

コーヒー豆を焙煎している山下明生
オーナーの父親・利明

ソーキそばを調理している山下明生
オーナーの母親・千恵

なくてはいけないし……」

結局、十七歳だった長女が小学五年生ではあまりにかわいそうだと、後に中学校に転校した。そうすると、日本語のレベルが上がり、ますます授業についていけなくなった。困ってしまった父親は、それからというもの、姉二人に授業の予習復習を見てあげていた。明生は五十音を読み書きできるまで教えてもらっていた。

「私は、友だちに恵まれていたと思います。学校で大きないじめもありませんでしたし。最初、日本語は、はい、こんにちは、くらいしかわからなかった。『お前、馬鹿だろう』と言われても『はい』とか『ありがとう』と(笑)。いじめられていることがわからなかったんですね。ある日、石を投げられたことがあったので、いじめられているのかなと思ったけど、それぐらいでしたよ。多分、いじめはあったかもしれないが、気づかなかったんですね」

それでも、子どもながらカルチャーショックを感じたことがあった。ブラジルでは男の子と女の子と遊ぶのは普通だった。ところが「お前、男のくせに女の子と遊んでいる」と言われ、どうしていいかわからなかった。また、和式のトイレに慣れなくて、「当時、叔母さんの家とか、公園のトイレがポトン便所で、二回くらいパンツを落としました(笑)」。

明生は、まだ小さかったのでアイデンティティーには悩まなかった。姉二人は、ブラジルでは日系人は地元の人ではない。日本に来たら日本語が話せない。その上、沖縄では山下というヤマトンチュの苗字でウチナーンチュではない。

「トリプルで、アイデンティティーの悩みがあったかもしれないですね」

現在、姉たちはそれぞれ結婚して、長女は本部、次女は今帰仁に住んでいる。いまとなって「姉たちはバイリンガルなのに、私は日本語だけ。私もポルトガル語を喋れたらよかったと思います」と明生は残念がっていた。

明生は、名護の中学、高校を卒業すると沖縄国際大学で経済を専攻した。在学中に父親が脳梗塞で倒れ、一年間闘病の末、一九八九年に亡くなった。七十六歳だった。家族会議を行い、店は明生が継ぐことになった。しかし、「社会人の経験をしなさい」と母や姉たちに言われ、大学を卒業するとスーパーマーケットのサンエーに入社した。

そして、二十六歳のときに大学で知り合った名護の女性と結婚。それからは、母親と明生の妻が「ブラジル食堂」を切り盛りしていた。妻とは、店を継ぐと決めた後に付き合いはじめたので、彼女は、店の手伝いをすることに不満もためらいもなかった。

当時、サンエーの男子社員は転勤が多く、明生も沖縄の各地を回っていた。入社から三年過ぎた頃、地元の名護支店に配属された。

「このとき、妻は二人目の子どもがお腹にいたんですね。私も、そろそろ店を手伝わなくてはいけない。いまが潮時だと思い、会社を辞めました。ちょうど三十歳でしたね」

ブラジル式焙煎にこだわる

創業から続いていた国道沿いの店舗から、現在の地、名護市字宇茂佐に移転したのは一九九二年。この店は、名護と本部を結ぶ県道八四号沿いにある。明生の母親の知人が紹介してくれ、購入することができた。店の二階が自宅だ。

「お客さんのなかには、『名前負けしているね。ブラジル料理を食べに来たのにそば屋なの』という人もいました。そうしたこともあったので、自分の代には、もう少しブラジルの色を出そうと、ブラジル料理のメニューを増やしたのです。また、そばの種類も増やしました」

ブラジルにいたとき、母親がつくっていたのは、沖縄料理とブラジル料理をちゃんぽんしたものだった。それらの家庭料理をメニューに加えていった。

ただ、コーヒーは、父親の味を守り続けている。使っているマシンは、父親のときから買い換えて五台目。一台目はブラジルから持ってきたもの。これが壊れて二台目は、知り合いにお願い

ソースが濃厚でおいしい「ガリンニャ・アサード」（ブラジル風焼き鳥）

ブラジル式自家焙煎のコーヒーはデミタスカップ

してブラジルから持ってきてもらった。この時点で、すでにブラジルでも同じマシンは入手困難だと言われていた。

「そんなわけで、私の代になって、同じマシンを沖縄でつくってもらったんです。ブラジルにいる親戚の人に聞いたら『いまどきブラジルではこのマシンは使っていない』と言われました」

十数年前の古い焙煎方式なのだ。

「ただ焼くだけですが、判断は自分の目と鼻と煙の具合だけ。単純なだけに難しいんですよ。熟練でないとできない。オヤジは、私に伝授する前に亡くなってしまった。それまで、父と母はずっと一緒に焙煎していたのです。オヤジが亡くなった後の一時は、焙煎機を使いましたが、私が店に戻って来て、母からオヤジのやり方を習い、再現していったのです」

覚えるまで、五、六年かかった。その間、母親がチェックして「ちょっと焼きすぎたかね」とか「まだ、なま焼けかね」などを繰り返していた。

「十回やって納得するのは、二、三回くらい。以前は十回やって、これだというのは一回くらいでした。失敗したのは自分たちで飲む（笑）。焼き過ぎて火事のようになったこともある。本当に一分でも間違えると別物になってしまうのです。かといって火を弱くすると焙煎具合が進まなくて、周りに油だけ浮くようなコーヒーになるんですよ。また、暑さ寒さによって焙煎の速度が違う。湿度が多いと遅いし、逆だと一気に乾燥するので同じ火力、同じ時間でも全然違う。とにかく日々、違うのです」

現在、全自動の焙煎機が多く出回っていて、ボタン一つでセッティングすれば簡単に安定して焙煎できる。

「遠赤外線だとか、いろいろな方式があって、おいしいコーヒーができます。でも、それではおもしろさがないんですよね」

明生夫妻には四人の息子がいて、長男と次男はすでに就職をしている。三男は大学生で四男は高校生。いまのところ、誰も店を継ぎたくないと言っている。

「私も継がせたいとは思っていない。公務員になりなさいと(笑)。私も会社を辞めてから、給料って支払う側より、もらう側の方がいいなと(笑)。自分の子どもの誰かが、継ぎたいと言ったら『二、三年でもブラジルに行きなさい』と言っています。そうではないと「ブラジル食堂」のストーリーが成り立たない。『なんでブラジル食堂なの』『うちのオヤジがブラジル生まれで』とは通用しないでしょう。私でギリギリ。ブラジル帰りだけどポルトガル語は話さない。母が生きていたときは、ブラジル人がみえたらお喋りして、私は料理をしていました。いまも日本に住んでいるブラジル人がよく来ますが、最近、彼らは日本語を話しますから助かります」

今後、メニューを増やさず、人気のないのを削っていくと言っている。

「一日でも長くこの店を維持していきたいです。両親の歴史が刻まれ、残してくれた財産ですから」

ブラジルのウチナーンチュ日系人に沖縄の伝統文化を伝えるのが私たちの役目

哲子（左）は「私の故郷はブラジル。アセロラはブラジルが世界最大の産地。たまたま結婚した相手がアセロラの事業をしていた。人生っておもしろいでしょ」。右が美智子

アセローラ栽培・商品製造＆フルーツパーラー

アセローラフレッシュ　沖縄県本部町並里

並里 哲子　二世、1957（昭和32）年生まれ
秋田 美智子　二世、1960（昭和35）年生まれ

並里哲子と秋田美智子は、「ブラジル食堂」・山下明生オーナーの姉たちだ。一九七四年、明生がブラジルから沖縄に来たのは七歳。ブラジルでの記憶はあまりない。片や姉の哲子は十七歳、美智子は十四歳だった。姉妹は日本人というより、ブラジル人として青春を謳歌していた。

彼女たちを訪ねて本部町の「株式会社アセローラフレッシュ」へ行った。哲子の夫の並里康文は、アセローラの栽培に成功し、夫婦でアセローラジュースやジャムなどの加工製品を開発、本部町の主要産業へと育てあげていた。

本部町のホテルからタクシーに乗って、並里の「アセローラフレッシュ」までと行き先を告げた。

「観光でいくのかい」

「いえ、並里さんにお会いするのです」

「あい、あそこはたいへんな家さ。昔、お城のあったところよ」

こう運転手は言った。なるほど、それで並里の苗字が地名と同じだったのだ。

朝の十時だったが、「アセローラフレッシュ」のショップでは観光客が五、六人、アセローラジュースを飲んでいた。

イタリリの「レスタランバー・ヤマシタ」

哲子と美智子が生まれたのは、サンパウロ州にあるItariri（イタリリ）という田舎町だ。父親の利明は戦前に契約移民として叔父夫婦とブラジルに渡った。母親は、戦後、ブラジルに渡っている。両親とも日系一世だ。

姉妹が生まれたとき、両親は「レストランバー・ヤマシタ」を経営していた。

「このバーがめちゃくちゃ成功していたんです。料理は、母が当時ブラジルにはなかった魚の唐揚げや、ソーメンチャンプルーなど沖縄料理的なのをつくって出していましたね。豆腐料理はイタリリでつくっている人がいなかったのでメニューにはなかったかな」

このレストランバーは、日本人学校の先生をしていた利明の収入だけでは生活が苦しいということで、結婚を機に創業。母親の千恵は、料理が得意だったということもあっての開業だった。

千恵は、すでにイタリリで成功していた兄たちに「あんた沖縄にいないで、こっちにおいで」と呼ばれてブラジルへ渡った。すぐに利明と見合いをさせられて結婚。父親とは同じ丑年だが一回り離れていた。「母の兄たちが無理やり二人をくっつけたそうですよ」と姉妹は笑う。

「弟の明生から聞いていると思いますが、母は戦争で右手を失っていたんです。戦禍を逃れて

「レストランバー・ヤマシタ」で1966年父・利明の従兄弟（前列左端）が来伯したとき

名護の山奥に逃げていたのですが、地域の男たちは、兵隊に取られていて一人もいない。そんなかで女学生だった母は、皆の食糧として芋の葉っぱを取りに行って焼夷弾にやられたそうです。戦後、周囲の人からウチナーグチで『はい、千恵ちゃんよ』と言われて哀れみの目で見られるのが、一番嫌だったと言っていました」

母親の千恵は、若い時から国頭郡の陸上の選手だった。当時、女学校に進む人はそう多くはなかった。しかし、千恵は三高女（沖縄県立第三高等女学校。現在の県立名護高等学校）に通っていた。

「すごい美人だったらしい。多分、ヒロインだったと思います。それだけに、かわいそうと思われるのがとっても辛かったんでしょうね」

ところが、ブラジルでは片手がなくても障害者ではなく、普通に扱われた。人種差別のようなこともなかった。

「だから、母はすごく楽だったと思います。かわいそうと思うだけでも上から目線なんですよね」

幸いなことにブラジルでは、掃除や洗濯などの家事はお手伝いに任せることができた。料理は肉を切るなど左手だけではできないこと以外は、すべて自分でやっていた。裁縫も左手だけでこなし、人一倍働き者の千恵だった。

レストランバー・ヤマシタのお客さんは、地元のブラジル人もいたが、日系人が多かった。

「皆さん、昼間はバナナ園で働いていました。イタリリは見渡す限りバナナ、バナナ。サントスから鉄道沿いでジュピアという町まで汽車で一日かかるんですが、その間すべてバナナ園です。壮大なバナナ園だったと記憶に残っています」と哲子は懐かしそうに語った。

当時、サンパウロ市場の六〇%のバナナがイタリリ周辺で生産されていた。それも、多くの日系人、特にウチナーンチュが現地の人を雇用して生産していた。

「私がびっくりしたのは、父から聞いた話ですけれど、バナナ園のウチナーンチュの人たちは子たくさんで、十名というのは普通だそうです。私たちは三名だけですから超少ない。父に『皆どうしてこんなに子どもが多いの』と聞いたら、『バナナ園で労働力として手伝いをさせているから』と言っていました」

哲子が十歳のときに、待望の男の子が生まれた。明生だ。

「長男が生まれたということで、両親、特に父親は大はしゃぎ。大勢の人たちを呼んで、多分、沖縄式のお祝いだったと思うんですね。引っ越しよりもたいへんな騒ぎでしたよね。このときのことは、よく覚えています」と姉妹は顔を見合わせておかしそうに笑った。

明生が生まれたことで、姉妹たちに家事の手伝い以外に育児という役割が増えた。

「私は映画を観るのが大好きだったんですね。でも、母は店の仕事で忙しかったので、いつも弟を連れて観に行っていました。どこへ遊びに行くにも、常に弟と妹と三名。もうLittle Mamaですよ」と哲子はまた笑った。

イタリリには映画館が一つしかなかった。エルビス・プレスリーや加山雄三の「若大将シリーズ」などを観ていた。日本映画はすべてポルトガル語に訳されていたので、日本語がよくわからない日系の人たちも、よく観に来ていた。

学校はというと、イタリリには日本人学校が一校あった。父親が、この日本人学校で先生をしていたが、その頃のクラスは一つだった。

妹の美智子は、「日本人学校の運動会で、姉が裸足で走ってすごく早かったのを覚えています。姉はスポーツが得意だったけれど、私は苦手。だから、運動会に参加しないでマンガを読んでいたんですね。確か『お化けのQ太郎』だったかな。日本語は読めなかったけれど、絵を見ていた記憶があります。誰かが日本から持ってきたのでしょう。数冊、学校に置いてありました」

姉妹が日本人学校へ通っていたのは週末のみで、それ以外の日はイタリリの地元の小学校に通っていた。哲子は四年まで通った。

「ブラジル人の先生が、日本語をとるかポルトガル語をとるか、どちらかにしなさいと言っていたのです。サンパウロと違い、イタリリでは、日本語とポルトガル語を教えるバイリンガルな小学校はありませんでした。父は『郷に入れば郷に従え』という考えがあったんですね」

当時、ブラジルの教育体制は、小学校が七歳で入学して四年間、中学校も四年間で合計八年間が義務教育だった。現在は、六歳から入学して九年間が義務教育になっている。高校は三年、大学が四年である。

当時、中学校に入るには、ポルトガル語をしっかり話せることが条件で、受験もしなければならなかった。もちろん、哲子はポルトガル語を完璧にこなしていた。だが、教育熱心な父親は「イタリリの田舎では、まともな教育ができない」と頑固だった。

そんなわけで、あれほど繁盛していたレストランバー・ヤマシタを閉めて、自宅も売り払って、サンパウロに引っ越した。

「お店は、地元の人も日系人のお客さんも定着していたので、買い手はすぐ見つかりました。いい値で売れたんです」

このとき、哲子は小学四年で十一歳、美智子は小学一年で七歳、明生はまだ一歳だった。

サンパウロのグローバルな住宅街

一九六八年、山下一家はサンパウロに引っ越した。

イタリリの店や家を売った資金でスーパーマーケットを開業し、家、車も買った。

「ただ、黒電話はなかったよね。当時のブラジルはまだそんなだった」と美智子。

哲子はこう言う。

「サンパウロは、大都会でめっちゃ嬉しかったですよ。やることもいっぱいだし、映画館がいくつもあって選べるじゃないですか。これが一番感激したことかな」

もう一つ、気に入ったのは、新しく買った家の環境だった。通り抜けのできないブロックにあって、移民の国ブラジルのなかでも突出してグローバルな区画だった。十二世帯がAブロックとBブロックに分かれてイタリア人、ロシア人、ブラジル人などさまざまな国の人が住んでいた。

1968年サンパウロ中学4年生のときのクラスメイト

「多民族の集まりだけに、それぞれの国の言葉で会話をするとお互い理解できないでしょ。だから皆、ポルトガル語で話そうというルールがあったのです。すごく仲よかったし、ここを去るときは、本当に悲しかったよね」と姉妹。

父親は商才のある人だった。スーパーマーケットは、イタリリ同様にたいそう繁盛した。しかし、常に父親の頭にあったのは子どもたちの教育だった。

「その頃、父は日本の教育が一番だと頑なに信じていたんですね」

結局、サンパウロには、六年間いただけで、また店も自宅も売って、沖縄に行く決断をした。

「日本に行くのは寂しかったですよ。学校も近所の人たちと別れるのも辛かった。それにサムライの世界はすごく閉鎖的だし、着物を着るなんてナンセンスよ」

二人は日本に関しての知識はまったくなく、ブラジルを離れることに大反対だった。しかし、母親は娘たちにこう言って沖縄行きを説き伏せた。

「沖縄はね、日本とは違うよ。すべてアメリカナイズされているからね」

母親は、戦後すぐにブラジルに来ていたので、アメリカの統治下がどういうものか、実態を知らなかった。一方でブラジル人がアメリカに幻想を持つように、姉妹にとってもアメリカは憧れだったのだ。

「姉は、本当に青春真っ只中だったでしょ。数年で、またブラジルに戻るだろうとルンルン気分で沖縄に行ったんですよね」

「そうなの。まさか、永久に日本に移住するとはまったく考えていなかったです」

この頃、父親はよく「ふるさと」の歌を口ずさむようになっていた。

「私ら、歌詞はわからなかったけれど、メロディーが哀愁を帯びて悲しげに聞こえたんです。おそらく父は若くしてブラジルに渡っているので、歳をとって故郷を思う心が強くなったんでしょうね。母は父のことをすごく尊敬していたので『じゃ、行こうよ』と、父の思いを優先していました」

1973年パスポート用写真を撮るために
写真館へ。ブラジルで最後の家族写真

母親のこの言葉に押されて、姉妹は沖縄に行くことを受け入れた。

実は、父親の日本への思いは、子どもたちの教育や郷愁ではなかった。

「私があまりに現地に馴染みすぎて、年頃になって外人（ブラジル人）の彼氏を見つけたら困るというのが本音だった。これはずっと後になって発覚したのです。実際、私にはブラジル人の彼氏がいましたからね。当時は、教育、教育と言っていたんですが、どうもその辺おかしいなあ、と思っていましたがね」と哲子は大声で笑った。

「外人」と言えば、日系人はブラジル人のことを「外人」と言っていた。だが、ブラジル人からすると日本人が外人。それを「ブラジル人の学校の先生から『オマエたちが外人だろう』と言われました（笑）」。

エエッ!! これが日本なの

「父は、ブラジルでずっと『文藝春秋』を取り寄せていたんです。そのなかに出てくる日本の写真は五重塔やお寺とかだったのです」

こう話す姉妹の日本のイメージは京都の町並みだった。

一九七四年、山下一家五名はサンパウロからラスベガス、アラスカを周り、長旅の末に着いた羽田は夜だった。その日はホテルに直行。翌日は皇居を見に行った。皇居を見学していたときは、違和感を覚えなかった。ところが、秋葉原に行こうとして「エエッ!! これが日本なの」と想像とはまったく異なる街並みに唖然とするばかりだった。

秋葉原に行ったのは、セイコーの時計を買うためだった。

「セイコーは憧れだったのでね。それから、私たちが日本に行くと言ったら、隣のイタリアのおじさんが『日本は戦争で負けた国なのに、どうして復興できたか。何かセイコーの成功物語があったら教えてほしい』と頼まれていたんです」

しかし、哲子は、まだ十七歳。日本のことはよく知らなかったし、まして戦後の復興と言われても何のことだかまったく理解できなかった。だから、このミッションは果たせなかった。

哲子たちは、憧れのセイコー時計を腕にはめ、寝台車で鹿児島へと向かった。車窓からの眺めは、秋葉原で見たときの驚きはなく、「日本の風景はこんなのか」と、ただ旅行気分で楽しかった。

ところが父親の生まれ故郷である沖永良部島にたどり着いたときのショックは忘れることができない。父親の兄弟の家に行くわけだが「ここに住むの、トイレはどうやって使うの、汲み取り式トイレに戸惑って、弟は何着ズボンを落としたことか（笑）。靴のまま家にあがって怒られたし……」

こう話す美智子に哲子も続けた。

「教えてくれればいいのに、叔母たちは怒るから。母は、叔母たちから『あなたは子どもたちに、ひざまずき一つ教えていないの』と叱られるわけです。何を言っているか私たちにはわからないけれど、叱っているのはわかるじゃないですか。母がかわいそうだった」

「当時ブラジルはパンタロンが流行っていたでしょ」

「そう、髪型もロングヘアで、私は中学生だったけれどお化粧はバッチリしていた。ピアスもマニキュアもしていたしね。あっちとしては『中学生でこんな化粧もして』と思ったんでしょうね。靴もピンヒールだったし、従姉妹たちは、恐れ多くて私たちに近づくことができなかったらしい」

食事も母親がつくっていた沖縄料理とは違っていた。そもそも沖永良部島は琉球料理とも違う。「煮つけとか煮しめのようなもの。覚えていないけど食べられなかった。子どもだったんですね」

「豆料理もあったんですが、ブラジルのフェジョンなどはお肉から出汁を取るけれど、こちらは基本的にカツオ。だからどうも好きではなかった」

だが、二人は口を揃えてこう言った。

「いまだったら、食べられます（笑）」

こうして沖永良部島からカルチャーショックがはじまった。一、二カ月過ぎた頃、一家は沖縄本島の名護に移動した。

「父もずっと大陸を夢見て沖永良部島を出たので、やはり嫌だったんですね。それに、ここにいたら農業をさせられると、名護に移ったのです」

名護に来て、「ほんのちょっとだけホッとした」と姉妹。

そもそも沖縄に来るきっかけは、名護の母方の姉妹が「沖縄に帰ってきたら」という誘いがあったからで、名護の宮里にある彼女の家に六カ月間お世話になった。その間、父親は居酒屋の「養老の滝」で修行をすることになった。日本料理で地元にあった料理を習いたいということだった。

「父は、ここでも『郷に入れば郷に従え』の精神です。やはり、自営をすることを目指していたんです。すると母の義理姉が『そば屋を経営すると食うに困らないということらしい』ということで沖縄そば屋をはじめることになったのです」

これが、現在、弟の明生が継いだ「ブラジル食堂」だ。店は、一カ月で建てられるようにと仮店舗のようなプレハブだった。

1980年名護市屋部の「ブラジル食堂」

「伯母たちが、私たちが住む家も仕事も店も探してくれたんですよね。たいへんお世話になりました」と美智子。

また、哲子はしみじみと言う。

「父親は、本当に商才があるというか、先見の明があるというか、『ブラジル食堂』も開店と同時に海洋博の工事現場へ行くダンプカーやタクシーの運転手で溢れていました。どうも、ダンプカーとタクシーの運転手が入る店はおいしいという定評があるらしいですね」

「私たちも朝早くから手伝わされていたね。詰めるだけだったけれど（笑）」と美智子。

「ブラジルで小学生のときから働くのは当たり前だった。私は家族のご飯をつくる担当、美智子は店番担当だったよね。日本は過保護です。ブラジルは皆生きる力が強い。都会はそうではないかもしれないが、田舎はいまでも働くのが当たり前ですよ」

「ブラジル食堂」は繁盛していたが、父親の夢はコーヒーショップだった。当時、コーヒーと言えば、日本中がアメリカン主流で「何これ、コーヒーじゃない。色のついたエスプレッソだね。しかもあんな大きなカップで」と散々けなしていた。

窮屈な日本の学校

十七歳と十四歳の姉妹は、日本語の読み書きができないので、二人一緒に小学校五年に入学した。

「美智子は、ものすごいビビリさんなので、入学当初は私と同じクラスに入ったのです。皆とは体格も全然違っていました」

美智子は、当時のことをこう話す。

「黒板に書いてある字は絵にしか見えない。縦に棒を書いて、次に横に棒を書いてと。こんなして書くのはともかく、話すのはそれほど時間がかからなかったです。担任の先生が一生懸命面倒見てくれましたから。また、学校から帰ると父が字を教えてくれたのを覚えています」

しかし、美智子はポルトガル語を忘れるのも早かった。明生は七歳だったので、日本語が主体となった。だか、十四歳になっていた美智子は、「日本語もポルトガル語も中途半端なんですよ」。

あるとき、学校からの帰り道で、女の子が姉妹の後をずっと追って「あの子たち、問題児じゃないの」というようなことを言っていた。それでも、二人は何のことかわからずに、笑っていたという。

また、こんなこともあった。

「給食で私のパンにハエが止まっていたんです。一人の女の子がその部分を取ってくれたんですね。するともう一人の子が『そんなことしなくていいよ』というようなことを言っていたのです」

美智子は「これがいじめだったのかは、わからない。私たちに、いじめの意識も概念がまったくなかったんですよ。ブラジルでは、いじめなんてなかったので。それがよかったと思いますね。ただ、珍しそうに他のクラスから見にきたりしていたのは覚えています」。

その後、哲子は名護中学校に編入し、名護高校へと進んだ。

「私は、沖縄が大嫌いだった。日本の学校は決めごとが多すぎて、枠があって枠からはみでたらいけない。たとえば制服でしょ。ブラジルでは、私服でピアスもマニキュアもしていたが、ここではダメ。それは学業に影響がありますか。個人の個性か認められないで、皆一緒のことをやらなくてはいけないでしょう」

当時、ブラジルでは十三歳になると社交界デビューをした。週末の夕方は、パーティーが多く、皆おめかししてダンスを楽しんでいた。

「日本の十三歳は、まったく子ども扱い。それにダンスやっている人は不良。めちゃくちゃ窮屈でした」

「姉のすごいところは、嫌だと言いながら中学では生徒会長をやって、ちゃんと適応しているんですよ。適応能力は二〇〇％（笑）。私は姉とは性格が全然違って、枠にはまる人だからその方が楽でした」

「そうなの、私の一番の失敗は、中学に入って生徒会役員を決めるときに、自分で立候補したんですよ。『やります』と（笑）。学校の先生たちやクラスメイトも目が点になっていたでしょうね。当時はどうしてかわからなかったのです。ポスターなども自分でつくって、壁にポンポンと貼ったりして。ブラジルで何でも自分でやっていたからです」

中学校では副会長、高校でも生徒会長になっていた。しかし、いま思うと恥ずかしいと哲子は笑った。

哲子は、日本語力の不足で高校の授業についていくのはたいへんだったという。しかし、英語は自分で勉強することができて得意だった。中学では英語弁論大会の県大会で優勝、高校でも沖縄県の代表に選ばれて上智大学で行われた全国大会に出場した。だが、全国大会ともなると、さすがに優秀な高校生が大勢いて、太刀打ちできなかった。

中学と高校で活躍していたのは哲子だけでなく美智子も頑張っていた。

「私は、高校のときに剣道で沖縄一位になりました。もともと日本の文化に憧れて、剣道もいいなと思って剣道部に見に行ったら、いつの間にか入部していた。中学一年から高校三年までやっていました。あの頃は全国大会がなかったし、女性で剣道する人がまだ少なかったです」

試合に行くときは、「両親はお店が忙しかったので、いつも私が引率していました」。

沖縄に来ても、やはり哲子が妹と弟の面倒を見ていたのだ。

ブラジルにいたときも両親はポルトガル語を話せたが、公文書、たとえば契約書などを書かなければならないときは、十歳頃から哲子が両親に内容を説明していた。

「小さいときから、甘えというのを知らないし、望んでいなかったです。それが私のブラジル人としてのアイデンティティーなんですね」

琉球大学入学、恋に落ちた

姉妹は、ブラジル国籍だったので留学生入学枠の第一期生と二期生として琉球大学に入学する

琉球大学へ入学した哲子22歳と母親・千恵

ことができた。二人とも英文学が専門だった。普通の留学生は約一年間、単純に文化を学ぶということで単位を取得する必要はなかった。しかし、姉妹は留学生枠といえど、通常の学部生と同じように単位を取らなくては、卒業証書をもらえなかった。

「入学のときは、受験もしたし、内申書も提出しました。美智子はすごく優秀だったけれど、私はめちゃくちゃな成績だった。よく合格したと思います（笑）」

こう話す哲子だが、大学に入学すると、高校生時代とは異なり、さまざまな年代の学生がいて水を得た魚のように学生時代をエンジョイした。

「高校はすべてダメだったけれど、大学は違いました。ここでやれると思ったのです」

当時の沖縄には、国費沖縄学生制度というのがあった。本土の大学を希望するための選抜試験に合格すると学費支援が受けられた。この制度は、復帰前に設けられ、徐々に縮小されて一九八〇年にはすべて廃止されている。

「琉大には、この国費制度試験のために数年勉強したが、失敗あるいは断念した方が多かったです。だから年齢がまちまちだったのです。それに、英文科は海外を目指している学生も多かった。というのは琉大の英文科はとっても恵まれていて、先生はネイティブスピーカーが多く、日本人でも海外生活を経験した方が教鞭をとっていた。そんなわけで、先生も学生ものすごくグローバルな考え方の方々がいっぱいいました。皆と話が合うし、毎日が楽しかった」

そして、哲子は琉大で夫となる人、並里康文に出会い、学生結婚した。康文は、琉大農学部の学生で哲子と同じ名護高校出身でOB会の会長をしていた。

そもそも当時の琉大は、日本の他大学と異なり、アメリカナイズされていて、新入生は自分が希望する先生の講義を受講して単位を取ることができた。それには登録しなければならない。登録日には、体育館に先生たちがずらっと印鑑を持って待っている。人気のある先生には長蛇の列ができて、なかなか登録できない。同じ教科でも単位が取りやすい先生などもいる。そうした状況で、指南役を買って出るのが先輩たちなのだ。

そのなかの一人、哲子にアドバイスをしてくれたのが康文だった。

「それが夫との出会い。彼とは三学年違いでしたが、すでにアセロラの研究に取り組んでいて地域の産業に育てようとしていたんです。その心意気にすごく感動したのです。いままでの私は、家でも学校でも常にリードしてきたでしょ。はじめて私をリードしてくれる存在に出会った。日本で彼みたいな人は、私の周りにいなかったので感銘したんです」

哲子は照れくさそうに感銘したと言うが、恋に落ちたのだ。不思議なことに、康文は生粋のウチナーンチュだったが、両親ともペルーで生まれて六歳の頃に日本に来ている。また、康文の伯父は、当時、琉大のスペイン語の教授だった。そんなわけで並里家の人々は南米に対して親近感を持っていた。

ところが、山下家の周囲、特に沖縄から離れたことのない親戚は二人の結婚に反対した。

「お互いまだ学生なのに結婚するなんて」

「あんな敷居の高い家に嫁入りはできない。ひざまずきもできない、お花一つ生けることもできない娘だのに」

母親は、こう、くどくどと言われていた。

「あの頃、並里のお父さんは町長をしていて有名だったんですよね。名護のオバァたちも皆知っているわけです。知らなかったのは私ら家族だけ」と美智子は言う。

「だけど、父の後押しがあったので、私たちは結婚できたのです。『名家に娘が嫁ぐとは、これほど名誉なことはない』と誇らしそうに言っていましたね」

実際、父親は皇族や家柄というものに憧れを持っていた。哲子のブラジル名というか、ミドルネームはエリザベスでイギリスのエリザベス女王から。美智子は、もちろん平成天皇の皇后の名でミドルネームはエリアナ。末っ子の明生は、明仁殿下から明をとってミドルネームはエドガーと名づけている。

並里家とは、どういう家なのか。沖縄の歴史を紐解かないといけない。

十四世紀初頭から十五世紀初頭にかけて沖縄本島は、北山、中山、南山の三つに分かれていた。のちに三山時代と呼ばれるようになったが、沖縄南部から攻めてきた尚巴志によって中山、北山、一四二九年には南山が制圧されて沖縄本島は統一、琉球王国が誕生した。

北山が滅ぼされた一四一六年、ときの王であった今帰仁城の攀安知はじめ一族は滅亡した。この北山の末裔が並里家なのだ。哲子の次男で現在「アセローラフレッシュ」の社長である並里康次郎がこう語ってくれた。

「北山の血は、すべて途絶えたというのが表の歴史です。でも、裏の歴史があるんです。攀安知は自害しましたが、次男は、本家の位牌を持って今帰仁城から山を二つ越えて、この並里の地にたどり着いたのです。その後、身を潜めながら生き長らえたということです。この歴史は、私たち並里家に隠れ世として語り継がれています。その家に嫁いだのが私の母。母は何も知らなかったので、嫁に来られたんでしょうね」

表の歴史で滅んだとされているのは、北山本家の従兄弟家系だったと康次郎は言う。「アセローラフレッシュ」ショップの裏山は、この地域でもっとも神聖な場所、御嶽として満名上殿内という建物があり、今日でも親類や多くの人々が訪れている。この満名上殿内の拝殿には、北山は明国との関係が深く、三国志の関羽として知られる関帝王を描いた掛け軸などが祀られている。

並里家はともかく、山下家親戚の反対を押し切って、二人は結婚した。

「結婚式は、仏前結婚で一日がかりでした。義理の父の偉いところは、町長でしたが、自分の関係者を呼ぶと会場には収まらないので一切呼ばなかった。親戚が多いんですよ。ざっと一〇〇〇名になりますからね」

アセローラ栽培を地元の産業に

康文は、大学の授業でアセローラを知った。現存する植物のなかでもっともビタミンCが多く含まれている果実だと。今はカムカムが一位のようだが、一九八〇年代はアセローラがダントツだった。アメリカでは、サプリメントも出はじめ、ビタミンCは抗癌作用があると発表された。それからは、急激に人気が出たという。当時、アメリカで流行ることは十年後に日本でも流行すると言われていた。

現在、アセローラの最大産地はブラジルだが、沖縄に持ち込まれたのは一九五八年、ハワイからだった。琉球政府が、戦後の復興を図り、ハワイ大学に作物の提案を依頼したことによる。いくつかの熱帯果樹が提案され、そのなかにアセローラがあった。しかし、アセローラは、雨風に弱く、実りが悪いうえ日持ちしない。台風の多い沖縄での栽培は難しいだろう。経済活動には結びつかない。こう農業試験所が結論づけた。それ以降二十年あまりアセローラは忘れ去られていた。

ところが、康文はこのアセローラに目をつけた。何とか、地元である本部町で栽培できないものか。大学と大学院で研究を続けた。修了後は、セゾングループの西武都市開発（現・西洋環境開発）で二年間勤務した。アセロラを産業として発展させるためには、流通の知識も必要だと考えたからだ。このときは、すでに結婚していたので哲子も一緒に上京していた。二年の勤務を終えて、二人は本部町に戻ってきた。

「それからは、沖縄の気候に合うように、台風に弱いなら木を低くして、畑の周りには防風林となるフクギを植えた。あとは実があまり実らないのは、ちょっと木をいじめれば、いっぱい花が咲いてたくさん実がなるとか。試行錯誤しながら、栽培技術を確立していったんです。アセローラは、日本において沖縄以北は寒くて育たない。鹿児島でも徳之島でもダメなのです。主人は、いいところに目をつけたと思いますね」

一方で、地域の産業にするために、サトウキビからアセロラ栽培に切り替えるよう農家を説得していった。

そして、一九八九年に会社を立ち上げた。社名は「アセローラフレッシュ」。

「農家さんとは契約して、技術を教え、収穫すると一〇〇%ウチで買い取っています。アセローラはとってもデリケートだから、加工しなくては商品にならないんです。試行錯誤してジュースやゼリーやドレッシングなどを開発していったのです」

事業も徐々に軌道に乗っていった。

ところが、二〇〇八年に康文は五十代の若さで亡くなった。

「彼は一人っ子でしたが、ほんとにリーダーシップのある人でした。先を読むのに長けていて、彼が方向を示してくれたので、それに向かって行くのが私の役割。だから楽でした。でも、もう示してくれる人がいない。私は途方にくれて沈みきっていたんですね。ちょうど長男が大学を卒業して教師をはじめたばかり。次男は大学生、三男が大学に入学、下の娘が高校に入学したとき

アセローラ商品の数々

アセローラフレッシ店舗の隣にある満名上殿内（まんなうぃどぅんち）という拝所

でした。もし、子どもたちがいなかったら、私、持ち堪えられなかったです」

「姉の家族はとっても仲よくて、子どもたちが姉を支えていましたし、いまもそうです」と美智子は姉家族を称賛していた。

「これからは私がこの会社を引っ張って、方向を示さなければいけない。私、頑固らしくて、かつてリーダーシップを発揮していたのが蘇ったのか(笑)。いつの間にかBig Mamaというニックネームをもらうようになりました。ブラジルいたときはLittle Mamaでしたけどね」

哲子は、屈託なく笑った。

会社の経営理念は〝世のため、人のため、地域のため。アセローラにかかわる人のすべてがハッピーに〟。哲子は「この言葉を胸に刻みながら、皆でやっています」と語った。

二〇一五年には、池袋サンシャインで行われた「第6回 ニッポン全国ご当地おやつランキング」で商品の一つであるアセローラフローズンがグランプリを獲得した。その後、TV番組「月曜から夜ふかし」でマツコ・デラックスが、過去のチャンピオンのなかで一番美味しいのがアセローラフローズンとコメントした。

「そこからブレイクです。本部町のこの小さなショップに大行列ができて、ただ驚くばかり。マツコ・デラックスの経済効果って大きいですね」

やむなく日本国籍を取得

山下家の子どもたちは、ブラジル国籍だった。しかし、それぞれの事情で日本国籍を取得した。哲子の場合は結婚だった。

「主人の籍に入るには、日本国籍でないと入れなかったんです。私は自分がブラジル人だというアイデンティティーを持っています。だから国籍を変えたくなかった。でも、主人の戸籍に入れないとすると子どもたちのこともあるし、諦めたのです」

美智子の場合はというと就職だった。

「私は、大学四年でしたが、同い年の人たちより二学年遅れていたので二十五歳になっていました。だから、普通の就職は不利だった。公務員の方が確実だったのです。でも、公務員は日本国籍でないとできないんです。そんなわけで、公務員試験を受けるために帰化したのです」

哲子は美智子のことをこう言って褒める

「妹はすごくてね。普通の会社はダメだったので、公務員しかないと一生懸命勉強したんですよ。帰国子女でありながら法務教官を十七年間も務めましたから。ヤマトンチューで同じ公務員と結婚したけれど、転勤が多くて二年ごとに引っ越しをしていました。でも、いつも楽しそう」

「私、旅行が大好きだから、定年になって沖縄に戻ってきても夫婦であちこち旅行しています。あまり家にいない」と美智子。

弟の明生が日本国籍に変えたのは、ブラジルでは徴兵制度があって十八歳になった男性は全員徴兵される。父親は、それを怖がって日本に来たときに早々帰化していた。

こうして、三人とも日本国籍を取得したが、母方の親戚は沖縄よりブラジルに多くいる。母方の祖父母の仏壇もブラジルにある。しかし、ブラジルの親戚は、二世、三世、四世になっていて自分のルーツに対する認識を持たなくなっている。

「両方の文化に接した私たちは、先祖に対する思いや先祖崇拝のことを、ここで学びました。まさに沖縄の伝統文化ですね。それを、ブラジルの親戚たちや沖縄日系人に少しずつでも伝えていきたいのです。幸い、琉大時代の友人で日系ブラジル人がいます。彼が、ブラジルに帰って、沖縄の文化の伝道師になっているんです。彼はものすごく使命感を感じて、私と二週間に一度、Ｚｏｏｍで話しています。並里家は、七〇〇年の歴史があって、催事ごとがいっぱいあるんです。こうしたことを伝えているのです」

例えば、沖縄の一般家庭は、清明祭などでは、一カ所のお墓で行う。だが、並里家は、お墓が十カ所にある。旧暦の正月、命日、七夕、お盆など、この十カ所のお墓参りをしなくてはいけない。

「お重箱は基本として五品で、最高のお供物は九品を揃えます。この五品は真ん中に赤い蒲鉾、三枚肉、魚の天ぷら、厚揚げ豆腐、昆布。それぞれ意味があるんです。それから、毎月一日と十五日には、仏さんのお茶とお水とお花を取り替えて、お塩やお線香をあげます。このときはお料理をつくりません。こうした祭儀を私は、もう亡くなりましたが義理母の姿を見て覚えたのです。ですが、時代が時代ですので、私がやっていることをそのまま次の世代に引き継がせるわけにはいかないと思っているのです。それでも義理母はかなり簡素化してくれました。さすが、元学校の先生で効率を考えながら、その意味を失わないようにしています。すごいと思いました」

と、哲子は義理母を称えていた。

子どもは四名とも結婚している。哲子は「アセローラフレッシュ」の社長をしている次男と同居しているが、長男、三男、娘たち家族も近くに住み、全員がさまざまな祭祀の手伝いをしてくれる。

美智子は沖縄の祭祀に対してこう言った。

「うちの母は、とっても都合のよい人で、『これはね、私ブラジルに長年いたからわからない』とか『主人は沖永良部島出身だからね』と言って逃げていた(笑)。山下一家は全員やっていなかったです。だから、姉は並里に嫁いでよくやっているなあと感心しています」

姉妹は、ブラジルのアイデンティティーを、特に哲子は強く持っているが、「お互いに楽しい人生を歩んでいるよね。いまとなっては、ブラジルと日本を知っていることは、私たちの大きな財産です」と二人は顔を見合わせて頷いていた。

出かけようとしていた哲子の次男の康次郎は、「ブラジルには一度だけ行ったことがあります。三カ月しかいなかったんですが、血が騒ぐというか、言葉はわからないのですが、従兄弟や叔母たちの皆が、涙を流してハグして迎え入れてくれました。自分の魂が吸い取られるようでした。また、行きたいです」と言って事務所を後にした。

世界を旅して一番おいしかった
ブラジルで珈琲農園を営む
伯父のコーヒー

笑顔がチャーミングな山田智之と松尾ユキ。
10年一緒にいるが籍を入れていない。ユキの国籍はまだブラジルだ

多国籍料理
VIVA LA COFFEE（ビバ・ラ・コーヒー）
沖縄県中頭郡読谷村大湾

松尾 ユキ

三世、1986（昭和61）年生まれ

「VIVA LA COFFEE（ビバ・ラ・コーヒー）」のある読谷村大湾には、外人住宅が所々に残っている。嘉手納基地に隣接していることもあって、戦後、米軍人向けとして建てられた住宅だ。築年数五十年以上を経たにもかかわらず、賃貸物件の人気は高く、すぐに借手がつくと不動産会社の人は言っていた。

そんな古い外人住宅をレストランにしたのが「ビバ・ラ・コーヒー」だ。オープンは二〇一九年七月。オーナーは、ブラジル日系三世の松尾ユキとパートナーの山田智之（のりゆき）だ。世界三十九カ国を旅した経験から編み出された多国籍料理が専門で、なかでもブラジル料理と自家焙煎のコーヒーが自慢の逸品だ。午後の四時、お客さんが途切れた合間に話を聞いた。

ブラジルから北陸の街へ

ユキは、一九八六年にサンパウロ州サンパウロ市のLiberdade（リベルダーデ）で生まれた。リベルダーデは、世界最大の日本人街のある街である。その街からBahia（バイーア）州、Espírito

友人宅を訪れるような親しみやすいレストラン・カフェ

Santo（エスピリト・サント）州、Minas Gerais（ミナス・ジェライス）州へと引っ越した。ミナス・ジェライス州以外は、いずれも南大西洋に面した州である。

「ブラジルでは、お父さんの仕事がうまくいかなくて、何回も引っ越していました。カラオケバーを経営していたと聞いています。日本に来たのは、私が八歳のとき。家族は、両親と年子のお兄さんと私の四人。ブラジルでは、全員がポルトガル語を話していました。母以外は、まったく日本語はできなかったです」

ユキはおっとりした口調で話しはじめた。

両親は、ともに日系二世。来日したのは、母親の姉の呼び寄せによるものだった。

「伯母さんは、富山県黒部市の宇奈月グランドホテルで働いていたのです。すごく待遇がいいし、オーナーはよくしてくれるので、あんたたちも来たらいい、と誘ってくれたのです。伯母さんは長女で母とは十五歳も離れていて、母親みたいにいつも母のことを心配していたそうなんですね」

こうして一九九五年二月、松尾一家ははじめて日本の土を踏んだ。成田から富山県の温泉街・宇奈月へと移動すると、すぐに両親は姉と同じホテルで働きはじめた。ユキは、当時のことはあまり覚えていない。ただ、「雪を見て口を開けてずっと食べていました」と笑う。

ユキと兄の仁志は、新学期を迎えるまでの一カ月間、自宅で日本語の勉強をしていた。

「母から平仮名とカタカナを教えてもらっていました。母のお母さん、つまり私のおばあちゃんは、日本語しか話さなかったので、家では皆日本語だったみたい。だから、母はポルトガル語も話すし、日本語も日常会話はできたのです」

その年の四月、ユキたち兄妹は黒部市立宇奈月小学校に、それぞれの年齢通り三年生、四年生として入学した。しかし、外国人は一度も入学したことのない小学校だった。宇奈月の街にも外国人はいなかった。学校側も戸惑ったのであろう、全校生徒約六〇名という小さな小学校だったが、日本語の話せない二人のために臨時講師を呼び寄せてくれた。

「国語と社会と道徳の授業は、私たちだけで受けていました。それだけでなく、両親が働いて

母親に抱かれたユキ

宇奈月小学校で特別講師岡本先生と。母親（右）が授業参観

いたので、先生は、お休みの日や授業が終わった後も、街中を日本語で案内してくれました。ホントに優しくて素敵な女の先生でした」

この特別授業は、兄妹が日本語を不自由なく話せるようになるまで一年間も続いていた。

「こんな恵まれた環境だったので、日本語や学校生活で嫌な思いすることはまったくなかったです。そのかわり、兄も私もポルトガル語を忘れてしまいました」

市立宇奈月中学校も小さく、二クラスだけで全校生徒も二〇〇名ほどだった。高校は、地元にはなく、電車で一時間かかる富山県立上市高等学校まで通っていた。もう、この頃には、時折ブラジルを懐かしく思い出すくらいで、日本人として何の違和感もなく過ごしていた。

フィジー留学で出会った人

ユキは、アルファベットに対する苦手意識がなく、中学、高校では科目のなかで一番英語が好きだった。成績もよかった。高校を卒業すると、派遣社員として製薬会社の工場で働きはじめた。その傍らで、居酒屋やパチンコ店でアルバイトもしていた。そんな日々を送っていたが、英語を勉強したいという考えをいつも持っていた。

「将来、英語を使って何がしたいというわけではなかった。ただ、日本から出たいなという気持ちになって……」

それならと留学をしようと決めた。

「あまり深く考えず、ただ海外への憧れでしたね」

アルバイト代などで、いくらかのお金を持っていたが、留学するには足りなかった。そうした折、留学費用がもっとも安いのが、フィリピンとフィジーであることを知った。どっちにしようか迷っていたが、知人からフィジーはすごくフレンドリーだということを聞いてフィジーに行くことにした。両親から少し援助してもらい二十三歳のときにフィジーへ向かった。

「フィジーの学校には日本人が多かったです。彼、智之とは、すぐに知り合いになりました。でも、このときは友だちとして。ただ、心がピュアで誠実そうな人だなという印象が強く残っていたんです」

ユキはこの学校に七カ月通っていた。その間、智之を含めた仲間の十四、五人が集まって、バイクとレンタカーでフィジー島一周の旅をした。

「そのとき、自由な旅っていうのは、こんなに楽しいんだと思ったのです。それで、皆と意気投合。次はオーストラリアを旅しようね、と約束をしたのです」

結局、この約束は叶わなかった。

ユキは、フィジーでの留学を終えて宇奈月に戻った。留学仲間とは、ときどき東京で集まっては飲み会を開いていた。そのときに智之と再会。二人は付き合うようになっていった。この頃、彼は、実現しなかったオーストラリアへの旅を模索していたが、いつの間にか世界一周の旅へと夢を大きく膨らませていた。やがて、二人は東京で一緒に暮らすようになって、ある日ユキは宣言した。

「私も一緒に世界を一周する」

それからというもの、世界一周の旅は二人の夢、というか実行すべき計画となっていった。

さらには、世界一周の旅から日本に戻ってきたら、東京ではなく智之の出身地である「沖縄で暮らそうね」とまで決めていた。なぜなら、ユキは以前、沖縄旅行をしたときにブラジルを感じる沖縄が大好きになっていた。そして、智之はユキに聞いた。

「沖縄に帰ったら、何がしたい」

当時、ユキは、タリーズコーヒーで働いていた。コーヒーが好きで、コーヒーに携わっている仕事が楽しくて、将来もコーヒーに携わっていたいなあ、と思っていた。だから、

「カフェをやりたい。あとはのんびりと生きたい」

「それ、いいね」

こうして二人は、漠然とではあるが、カフェを開くという将来の絵まで描いていた。

二〇一四年、智之はワーキングホリデーとしてオーストラリアへ行き、ユキは日本に残ってそれぞれ旅のための貯金に励んだ。そして、二〇一五年十一月、ユキがオーストラリアへ行って合流、四カ月滞在して翌年二月に世界一周へとスタートした。

生まれ故郷ブラジルへの思い

ユキの両親は、ともにサンパウロ州の南に位置するParana（パラナ）州の出身だ。松尾一家がブラジルのいたときは、年始年末といっても、ブラジルでは夏休みになるが、毎年、母親の実家で一カ月ほど過ごしていた。

「ブラジルでの学校の記憶はまったくないんですよね。だけど、ばあちゃんの家に従兄弟たちが大勢集まってワーワー騒いで楽しかったことをよく覚えています」

ユキは、フィジーにいたときマンゴーやパパイアなどのトロピカルフルーツを見て、記憶に残るブラジルの光景と重ね合わせていた。

「そういえば、ブラジルのばあちゃんの家に大きなマンゴーの木があったなあ」とブラジルを懐かしがった。

そして、フィジーから宇奈月に戻ったときにフッと思った。生まれ故郷であるブラジルの言語、ポルトガル語を話すことができない。話せるようになりたいと。

「そうだ、ブラジルに行こう。飛行機代だけあれば、泊まるところはある」

思い立ったら、いてもたってもいられず、数日後にはチケットだけを持ってブラジル行きの飛行機に乗っていた。

ブラジルへは、このときが初めて帰ったわけではない。十八歳、二十一歳のときにも帰っていた。二回目は、祖母の米寿祝いだった。今回は五年ぶりの故郷への旅だが、祖母のいるパラナの街は、高層マンションが多くなって随分と変貌していた。ただ、祖母の家は昔のままだった。

「ばあちゃんの家には、子どもの頃に仲よかった同い年の従姉妹がいたが、最初は、あまり溶け込めなかったですね。私が、ポルトガル語を喋れなかったので、自分にブレーキをかけていたんです。喋れないと、シャイになってしまうのです。なので、年上のちょっと日本語がわかる従姉妹と仲良くしていました。それでも五カ月間いたので、かなりポルトガル語を話せるようになりました」

帰国後、いまのパートナーとなる智之と再会したというわけだ。

世界一周の旅は、オーストラリアからスタートし、二人の出会いの地であるフィジー、インドネシアへと進めていた。ところが、インドネシアにいたときに、ブラジルの祖母の具合がかなり悪いとの連絡を受けた。

「会っておかないと後悔するよ」と智之の助言を受けて、二人は急遽ブラジルに行くことにした。ただ、ユキはブラジル国籍だが智之はビザが必要だった。そのため、隣国のパラグアイに寄ってブラジル大使館でビザを取得して入国した。ちなみに現在、九十日以内であればビザは必要ない。

インドネシアからブラジルの祖母の家まで長い旅だった。

「ばあちゃんに会えたんですが、アルツハイマーで意識もあまりなかったんです。でも一度、ユキと私の名前を言ってくれたんですよ。それから二日後に亡くなりました。最後に会えてよかったです」

祖母が亡くなる前には、ブラジル中から家族が集まっていた。日本からユキの両親も来ていた。

「皆、ばあちゃんが生きているときに会えたのです。きっと待っていたんでしょうね」

旅で学んだ料理と人の温かさ

その後、二人は南米、中南米、アメリカを旅して、ベトナム、インドからアフリカ、中近東、チェコスロバキアなどの中欧、欧州を巡り、最後はインドネシアへ戻った。二年かけて三十九の国々に足を踏み入れたことになる。

そうしたなかで、思い出深い国はインドだった。インドでは、電車チケットの買い方が複雑すぎて、買うことができない。その上、大勢の人が並んでいるが、やたらに割り込んでくるので、二人は途方にくれていた。すると、一人男性が近づいてきて、「俺が買うからついて来いよ」と。ちょっと心配だったが、人がよさそうだったこともあり、お金を渡して彼について行った。

「そしたら、ホントに切符を買ってくれたんです。お礼を何ども言うと、当たり前だよという表情をしていましたね」

そればかりか、コーヒーやチャイは好きかと聞いてきた。実はその男性、チャイ屋で働いている人だった。それでバイクに三人乗りして彼のチャイ屋へ連れて行かれた。

「そこで飲んだチャイがものすごく美味しかった。何が入っているかも材料も教えてくれたんですよ」

トルコ名物のミディエドルマスを手にする智之

そのときのレシピが、「ビバ・ラ・コーヒー」のチャイとなって再現されている。コーヒーに次ぐ店自慢の逸品だ。結局、インドには一カ月滞在して、さまざまなカレーを堪能した。ただ、ユキは一カ月もカレーづくめだったことに、少々食傷気味になっていた。

そんな折、レストランでスパゲッティミートソースのようなメニューを発見。「よっしゃー」と勇んで注文。しかし、それもカレー味だった。

「まじか、スパゲティまでカレー味にしちゃうんだ」

インドでの愉快な思い出になった。

トルコの名物の一つに鯖サンドイッチがある。しかし、これは「パサパサして口の水分が持っていかれるようであまり……」だった。逆に、ムール貝にピラフのようなものを詰め込んだミディエドルマスという料理は、「めちゃくちゃおいしかった。ムール貝が大きくて驚いた」

カッパドキアで食べたケバブは、バケットに挟んだもので、地元の人たちは、どの家庭でもパン釜を持っていて、自分で焼くと地元の人は言っていた。

「どこでも、レシピはすぐ教えてくれます。旅行者だから警戒していないのでしょうね」

ウクライナでも素敵な出会いがあった。

恋人たちが一度は行ってみたいという人気スポット「恋のトンネル」。ここへ二人も行ってみた。すると、手招きをしている人がいる。

「おーい、こっちにおいで。誕生パーティをやっているから」

こう言って、自宅に招いてくれた。そこでは、庭でバーベキューをやっていて、テーブルには、チーズを使った料理や、酢漬けの野菜、ボルシチなどが山盛り。これらのすべてをご馳走になった。

「ビーツの入った深紅色のボルシチ。コクがあって、おいしいのなんのって、もう感激です」

ボルシチのつくり方を教えてもらい、お酒も振る舞われた。そのお酒はウオッカだった。

「私たち、お酒が強くてよかったです」

旅行から戻ったら、カフェをやろうと考えていた二人だったので、行く先々でコーヒーを味わっ

飛び入りでウクライナ家族の誕生パーティに参加

ウクライナの「恋のトンネル」。ユキは持参していたウエディングを着て撮影

ていた。ブラジルでは、ユキの伯父さんが経営しているミナス・ジェライス州のコーヒー農園で一カ月コーヒーづくりの体験をした。伯父が一代で築いた農園だ。二〇一六年当時で総面積は東京ドーム四〇〇個分もの広さだという。しかも、一年中収穫できるように、種撒きからコーヒーの実が熟すまですべて農園内で行われている。そのため、二人はコーヒー栽培のすべてを見ることができた。さらに、豆の収穫から収穫後の工程も体験した。

「品種によって木の高さが異なり、背伸びしたら届く木もあるのです。収穫後の生豆から、本来、機械で選別するのですが、自分たちは、手でピッキングさせてもらいました」

生豆の乾燥は、アスファルトに敷き詰めて一週間ほど自然乾燥させて脱穀。

「焙煎は、工場で長年働いていたベテランの方に、基本を教えてもらいました。このときのノウハウが、いま役立っています。焙煎時間とタイミングがすごく重要なんです」

この伯父の農園でつくられたコーヒー豆は、日本にも輸出されている。以前、ユキが働いていたタリーズコーヒーでも使っていた。

「農園で採ったものを農園で飲む。エスプレッソみたいな濃いのを入れて、お砂糖をガバッと入れてね。これがおいしいんですよ。入れ方も凝ってない。でも、おいしかった」

伯父さんの農園でつくったコーヒーという贔屓目もあったかもしれないが、二人は決めた。

コーヒー農園主の伯父と

伯父のコーヒー農園でお弁当を食べるユキと智之

「自分たちのカフェは、伯父さんのコーヒーだね」

世界と沖縄の橋渡しをしたい

二年におよぶ世界旅行から戻ってきた二人は、沖縄那覇市にある智之の実家で四カ月を過ごした。その間、カフェを開くために奔走していた。やっと見つけたのが、いまの店。米軍人向けに建てられた、通称「外人住宅」と呼ばれている物件だった。築五十年以上は経っているので、カフェにするには、相当手を加えなければならない。二人には、その改装費用を持ち合わせていなかった。

ところが、沖縄の友人だけでなく、留学仲間が本土から続々と沖縄入りして、内装を手伝ってくれた。あっという間に、いまのカフェが完成した。

同時に、富山にいたユキの両親を説得して、沖縄に呼び寄せた。料理人であるユキの父親に協力を仰いだわけだ。ブラジル生まれの両親は、二つ返事で沖縄に移住することを決心してくれた。

こうして二〇一九年七月にカフェはオープンした。

「店名のＶＩＶＡはポルトガル語、スペイン語、イタリア語でバンザイとか、乾杯という意味。

ブラジル料理の「ムケッカ」。海鮮の旨みとココナツが調和した絶品料理

お客さんと店との距離が近く、一緒に語り、祝えるようなカフェにしたかったのです」

ＳＮＳを活用して、頻繁に情報を発信しているので、お客さんは着実に増えている。メディアにも幾度か紹介された。

「知り合いのレストランとは、皆ライバル意識はなく、お互いにお客さんを紹介しあっています」

メニューは、世界を旅して得た知識と味覚をもとに、独自で開発した多国籍料理だ。父親には、ブラジル料理のレシピを考えてもらい、食材も少し沖縄っぽいのがあったほうがいいね、と考案してもらった。ブラジル料理のなかでも、エスピリット・サント州の伝統的海鮮料理の「ムケッカ」は、えびと沖縄の魚のグルクンる。
を取り入れた。ただ、両親は恩納村の料理屋で働いているので、週末だけ手伝ってもらってい

二人は、今後のことを語った。

「自分たちは、世界を旅するカフェをやっていますから、まず旅に出たいのです。興味のある料理をちゃんと習いに行きたいのです」

三十九カ国の旅をしているときは、カフェ経営を経験していなかった。だから、味わった料理や見聞きした知識が素通りして身につかなかった。

「今度は、目的意識を持って旅をするので、絞って吸収できます。それを沖縄に持ち帰って皆に食べてもらいたいのです。そして、SNSを使って情報発信する。世界と沖縄との橋渡しもしたいなと考えています」

ユキは、インドに行っているときは、カレーがあまり好きでなかった。

「いまは、カレーが大好き。いま一番スリランカカレーを習いに行きたいのです。彼は私が行きたいところに行ってくれる人なので……」

ユキは、こう言って智之の顔を見て笑った。

ブラジル・富山・沖縄
人生波瀾万丈
でも、いまが一番しあわせ

仲睦まじい松尾修＆照子夫妻

沖縄県中頭郡読谷村大湾

松尾 修　二世、1952（昭和27）年生まれ

松尾 照子　二世、1961（昭和36）年生まれ

「VIVA LA COFFEE（ビバ・ラ・コーヒー）の松尾ユキから、日系二世の父親が店を手伝っていることを聞いた。料理人だというので話を聞きたいと、ユキにお願いした。すると、「父親は日本語が達者でないので、母と一緒でもいいですか」とのこと。後日、国頭郡恩納村の万座毛に新築された「万座毛周辺活性化施設」で松尾夫妻にお会いした。父親の修は日焼けしてどこから見てもウチナーンチュ。だが、彼の両親は長崎と佐賀だった。対照的に母親の照子は色白で、娘のユキに似ている。彼女の両親は熊本と秋田だった。

蒼い海を望みながら、二人が沖縄に居を構えるまでの、長い道のりを聞かせてもらった。しかし、話のなかで多くの地名が出てきて、頭のなかのブラジル地図は混線してしまった。

生まれ故郷はパラナ州

修は、パラナ州Marialva（マリアウバ）で生まれ、同じ州のLondrina（ロンドリーナ）で育った。六人兄弟で末っ子。

「僕のお父さんは、家族でブラジルに渡って写真家になった。だけど、僕が一歳のときに亡くなったので、家族の写真は全然残ってないね。お母さんが裁縫をやって子どもたちを育ててくれたんだ」

修の母親は、家で日本語とポルトガル語を話していたが、子どもたちは、皆ポルトガル語しか話さなかった。

照子はというと、パラナ州のSertanejo（セルタネージョ）で生まれ、五歳から十七歳まで同州のIbiporã（イビポラン）で過ごした。

「十八歳で、大学受験のためにロンドリーナに来たんですね。でも、受験に失敗したので、すぐに銀行でお仕事をしていました。ロンドリーナでは、姉と一緒に住んでいたのです」

照子は、末っ子で兄が八人と姉が二人いる。一家は、農業を営み、主に野菜が多かったが、大豆、麦などさまざまな作物を栽培していた。両親と兄たちは一日中畑で農作業。そのため、食事の支度や洗濯などの家事は、すべて長女が引き受けていた。

「その頃は、どこの家も男は一〇〇パーセント畑で、家事は何もやらなかったです。家事は女の役割でした。私と長女姉さんとは十五歳離れていましたから、私の母代わりでしたね。だけど、私が十歳のときに結婚して家を出て行きました」

その後、家事を任されたのは、照子の五歳上の姉だった。

「私の父と母は、ブラジルで見合い結婚をしたんです。母は十二歳で移民したと言っていました。生きていたら、一〇〇歳くらいかな。あの当時の日系人はほとんどお見合いでしたね」

松尾夫妻の生まれ故郷であるパラナ州の州都はクリチバ。ブラジル南部の州で、アルゼンチンとパラグアイの国境に接している。この州にはアルゼンチンとまたがって世界最大といわれるイグアスの滝があり、人気の観光地だ。日系人はサンパウロ州に次いで多く、約十五万人。一九一〇年代の入植以来、多くの日系人が各界で活躍している。一九七八年の日本人移住七十周年には、皇太子・同妃両殿下(現・上皇上皇后両陛下)、二〇一八年の日本人移住一一〇周年には、眞子内親王殿下がこの州を訪問している。ちなみに、パラナ州の州都クリチバ市と姫路市、ロンドリーナ市と名護市は姉妹都市だ。(「パラナ州概観」在クリチバ日本国総領事館二〇二一年五月一日付)

二人の出会いは音楽

照子と姉は、イビポランの街からバスで二十分ほどのロンドリーナで日系人の歌のサークルに

ブラジルで歌の大会に参加。姉と照子

参加していた。

「日系人の奥さまがピアノを弾いて、私たちは、のど自慢大会に出るために唱歌とか童謡を練習していました。その練習部屋とは別の部屋でバンドをやっている人たちがいたんです。そのなかの一人が主人でした。私は、十一歳か十二歳だったかな。主人は私と八歳半離れているから二十歳くらいでしたかね」

ただ、そのときは、照子にとって修は特別な存在ではなかった。のど自慢大会やコンクールの集まりで、たびたび顔を合わせ、挨拶をする程度だった。照子が十五歳になった頃から、少しずつ修のアタックがはじまった。

「私が十七歳だったかな。主人は、石鹸製造会社に勤めていて、その営業も兼ねていたとはいえ、毎日のようにロンドリーナからイビポランの私のウチに来ていた（笑）。私は、その当時主人のことは嫌いだったんです。バンドをやっていて遊び人でしょ」

こう話す照子の隣で、修は笑いながら大人しく聞いていた。

修は、ドラムをやっていた。演奏していたのは主に洋楽だった。

「クラブなどのダンスパーティでやる曲は、どんな曲でも演奏していた。当時、流行っていたレッドツェペリンやビートルズの曲、ブラジルの曲、ブラジルの曲はサンバがほとんどだった。カーニバルのときは四日間演奏しっぱなしだったよ」と修。

「もう、楽しかったですね。主人は、舞台の上でタオルを首に巻いて演奏していた。私たち女性は舞台の下で皆とワイワイ、走り回って踊って。ダンスというか、皆で手をつないだり肩組んだりして騒いでいたのです」

カーニバルといっても、日系人クラブだったので、現地の人もいたが日系人が多かった。そんな楽しいときを過ごしながら、修は照子を口説き落としていった。

一九八四年、ロンドリーナで二人は結婚した。修三十二歳、照子二十三歳だった。だが、この結婚には、照子の両親、特に父親は反対していた。

「父は昔の人だから、頑固だったんですね。日本語を話す人で真面目な人でなきゃダメだと。

ドラムだけでなくボーカルもやっていた修（右）

ドラマーだった修

主人は、日本語は話さないし、バンドをやっていましたからね。それでも主人は、おじけることなく堂々と積極的に攻めてきた（笑）」

ところが、照子が十八歳のときだ。父親とその兄弟三人が交通事故で帰らぬ人となったのである。親類の結婚式に出席していた父親たちのもとへ、父親の叔父の訃報が入ってきて、彼らは、すぐさま結婚式場から隣の州まで車を飛ばし葬儀に参列。その帰路での事故だった。陽が沈みかけた夕暮れ、疲れが出て居眠りをしたのだろうか。

「いまだに、父がいなくなった実感がわかない。まだ六十歳だったんですよ。生まれてこのかた病気も薬も飲んだことのない、逞しい父親でしたから」

母親は、あまりの突然な出来事で一時は放心状態だった。しかし、長男家族と同居して孫もいた。他の兄弟たちも「お母さん、お母さん」と心配して家に集まっていた。

「だから、元気を取り戻すのも早かったです。そんなわけで、私の結婚式には、もう父はいなかったです」

結婚を機に修はバンドを止めて、日系人の知人と照子も含めた三名で「カラオケ・スナック・バー」という店名の店を経営しはじめた。料理人だった修の兄にも手伝ってもらい、兄がメインとなって料理をつくり、修は賄い料理を担当。それだけでなく、仕入れからバーのドリンクや接待も行った。店が大きかったので、アルバイトの大学生を三、四名雇い、店はいつも賑わっていた。

こうして、幸せな新婚生活を送っていたのだが、それは突如、壊された。

松尾夫妻は、照子の姉の結婚式に出席するためにサンパウロへ行った。土曜日に行って、月曜日の朝に戻って来た。そして、店のドアを開けると、とんでもない光景が。

「何もない。テーブルも椅子も調理器具も食器類もすべてない。店は空っぽになっていたんです」

1984年、結婚式

「一番ショックだったのはカラオケの機械。あれは、ブラジル製の高い機械だったよ。僕が自分でいろいろアレンジして使っていたんだ。当時はデジタルじゃなかったけどね」

結局、犯人は捕まらなかった。そればかりか数カ月後、松尾夫妻をどん底に突き落としたのは、一緒に経営していた相棒が噂していたことだった。

「僕たちが仕組んで、誰かに頼んで店

のものを全部持っていかせたんだ、とね。全部盗んだと疑われたのさ」

「もう、イヤで、イヤで、こんなところに住めない。絶望ですね」

「それでロンドリーナからサンパウロに引っ越したんだ」

ロンドリーナでの出来事は、思い出したくないと言っていた二人だが、唯一嬉しかったのは、長男の仁志が生まれたことだった。

転々と引越しを繰り返す

サンパウロ州の州都であるサンパウロでは、ひとまず家が見つかるまで姉宅にお世話になった。やがてリベルダーデに家が見つかった。このとき、ロンドリーナで一緒に経営していた相棒の叔父さんから「一緒にレストランを経営しましょう」と誘われた。

元の相棒とは違って、信頼がおけそうな人だったので、契約書など作成しないでレストランをオープンした。約一年、店は繁盛していた。

「だけど、その叔父さんもレストランは自分のだと言い出しはじめて、すべてのものを持っていったのです。理由はわかりません」

ブラジルでの松尾一家

修は照子の顔を見ながら言った。

「騙されたね。全部お任せにしていたから。店をつくるのとか、経理もね。ロンドリーナのときと同じようにサンパウロでもやられたんだ」

しかし、サンパウロでの嬉しい出来事は、ロンドリーナで長男が生まれたように、ここでも長女のユキが生まれたことだった。

幸い、バイーア州にいた修の兄が「こっちに来い」と声をかけてくれた。兄の友だちがレストランを貸してくれるというのだ。

松尾一家は、すぐにバイーア州Madre de Deus（マードレ・デ・デウス）の街に引っ越した。そのレストランはビーチの真ん前で好立地だった。新鮮な魚介類が手に入り、修はブラジル料理のムケッカなどをつくっていた。これは、魚や海老をココナツミルクで煮込んだバイーアの郷土料理で「ビバ・ラ・コーヒー」でも人気メニューとなっている。

レストランの経営は、安定して観光客でいつもにぎわっていた。

それが四年ほど経ったときだった。

「突然、レストランのオーナーが来て店を売ると言い出したんですよ」

どう交渉してもダメだった。

「だから、その仕事はなくなったね」

そんな修を心配した兄が、自分が勤めていた石油関係のイゾブラジル社に連れて行き、就職させた。ところが、一年過ぎると、出向のような形でエスピリト・サント州にあるアラクルス社に転勤することになった。この会社は、世界最大規模の製紙会社で、修はそのパルプ工場で一年間働いた。次には、元いたイゾブラジル社の本社に異動させられた。本社はエスピリト・サント州の西側にあるミナス・ジェライス州だ。異動があるごとに松尾一家は引っ越しをしていた。

結局、結婚したパラナ州からサンパウロ州、バイーア州、エスピリト・サント州、ミナス・ジェライス州と五つの州を渡り歩いていたことになる。

イゾブラジル社本社に異動になったとはいえ、修は関連会社である断熱パイプの加工・製造するイゾラメントス社の工場を一、二週間ごとに出張していた。生産管理を担当し、移動は、いつもヘリコプターを使っていた。その後は事務仕事に就いていた。

「主人は、イゾラメントス社の上司に気に入られ、期待されていたんですね。私たちは、特別にいい待遇をしてくれましたよね」と照子は修の顔を見ながら語った。

「そうだね。引っ越したときは、フォンタージの町にアパートが用意されていて、ただカギをどうぞと渡されただけだった」

「そうそう、社宅ではないが、家賃を払った記憶はないですね。主人だけでなく、私たち家族の交通費も食事券のようなのも出してくれました。私は、車の免許を持ってなかったけれど、近所にスーパーはあったし、不便は感じなかったです。周りはブラジル人ばかりでしたが、子どもたちは、可愛がられたし、そんなに寂しい思いはしなかったです」

ブラジル経済はというと、一九八〇年代から続いていた債務危機によるハイパー・インフレは、九〇年代に新自由主義政策が取られ、いっときは収まっていた。しかし、一九九三年にはインフレ率が2000％を超えるほど大混乱に陥っていた。

「朝と夕方の部品の値段が違う。伝票を起こしていても金額がドンドン変わるんだ。だから僕の仕事は、たいへんだった。もうほんとにたいへんだった」と修は繰り返していた。

富山へおいで、仕事はあるよ

十五歳離れた照子の姉夫婦は、数年前から富山へ移住して、温泉街で有名な宇奈月のホテルで働いていた。

一九九四年、この姉から「富山においで。仕事はあるよ」と連絡があった。

当時、日本はバブル景気の名残で、まだホテルは人手不足だった。

「私は、即、行きたいと返事したんです。主人に相談したら、じゃあ行きましょう、とすぐ賛成してくれました」

そもそもブラジルでは、いくら働いてもお金が貯まらない。貯金もできなかった。日系人の知人からは、デカセギで一年間頑張れば、ちょっとした家を買うことができるという話を聞いていた。実際に、家を建てて商売をはじめた人もいた。

「じゃ、三年間頑張ろうね」

松尾夫妻は、期限を三年として日本へ行くことを決意した。

翌一九九五年、日本へ出発する一カ月前、一家は照子の実家があるイビポランで日本へ行く準備をしていた。このとき、兄たち家族も皆、集まって来ていた。

「その年の一月十七日には阪神・淡路大震災があったでしょ。だから、皆、日本へ行くのは、やめろ、やめろ、大地震のあるところに行くんじゃないよ、と家族のほとんどから反対されたんですよ。だけど、私たちは行く、三年間稼いで、帰って来てマイホームを建てる、と皆の前で宣言したのです。マイホームとマイカーを買う。これが私たちの夢だったんですね」

二人の子どもたちも、転々と引っ越していたので、仲のよい友たちがいなかった。だから、「日本に行きたい」と喜んでいた。やがて、姉夫婦が、里帰りを兼ねて、わざわざブラジルから迎えに来て、こう言った。

「絶対いいホテルで、女将、社長、常務も皆優しくていい人だからね。ただ、着物で仕事をしなくちゃいけないよ」

こうした言葉に励まされて、松尾家の四人は一九九五年二月二十二日にブラジルを離れた。

宇奈月温泉は、富山県黒部市にあり、約一〇〇年の歴史を誇る名湯として知られている。黒部渓谷への入り口とあって、登山客も多く訪れる。

こうしたブラジルとはまったく異なる北国の温泉街で、松尾夫妻はすぐに働くことになった。ホテルは、姉の働いている宇奈月グランドホテルだ。修は日本語ができなかったので調理場の補助。照子は、日本語ができるということで、仲居として客の接待をすることになった。

「実際に接待をやるとホントたいへんでした。当時は、お部屋食といって、懐石料理を部屋に運んでいたんですが、食卓の用意からお料理の説明もしなきゃいけないでしょう。マナーではお茶の出し方、襖も座って開けなきゃいけないとか、畳のへりを踏んじゃいけないとか、覚えなくてはいけないことが山ほどありました。それだけでなく、私は簡単な漢字はできましたけど、伝票など全部漢字で書かないといけない。これに苦労しました」

宇奈月温泉で仲居として仕事

宇奈月ではじめて見た雪

照子は四部屋から五部屋を担当し、宴会場では団体客二〇人を受け持っていた。最初の一カ月間は、見習いとして先輩の仲居さんについて回った。

「フリーになったときは、どうしていいかわからなかったですね。お客さまから何を質問されるか怖くて。よく、『お姉さん、どこの出身』と聞かれるんですが、ブラジルというと、いろいろ質問されるでしょ。次のお客さまがいるし、一人の方にあまり時間かけてお話しできない。余裕のあるときはブラジルから来ていますと応えるけれど、たまに『熊本です』とか言うんです。そうすると『何かアクセントが違うな』と。だから『熊本の田舎で〜す』とかごまかして（笑）」

なかには、ちょっとしたことで「女将呼んで来い」とか文句を言う客がいた。

「だから、もうていねいに、ていねいに仕事していましたね。おかげさまで、私は、お客さまのアンケート用紙で一度もクレームはなかったです。ホントに気を遣いましたから」

早番は朝の六時に出勤して、十一時までの四時間。遅番は午後の三時半から遅いときは、夜の二次会まで付き合い、バーで一緒に歌ったりしていた。

「私、結構リピーターさんが多かったのです。たまに帰るのが十二時になったときもありました。でも、たくさんチップをもらいました。帯の間に、チップ袋とかティッシュに包んで、チップをくれるんですよね。帯を解くとポロッと出てくる。それが嬉しくて、仕事はキツかったけど頑張れたんですね」

チップは、一万円札や五〇〇〇円札の場合があった。多い月では十万円以上あった。ところが、このチップは、一旦女将に渡して客室担当の皆で分けることになっていた。照子は、担当の四部屋分を正直に全部渡していた。すると女将は、照子に言っていた。

「トップなんだけどね。皆で割り勘すると、こんだけになっちゃう。お疲れさま」

後に知ったことだが、他の仲居さんは、一部屋分だけを女将に渡して、残りは自分の懐に入れていたのだ。

「私、ホント馬鹿正直でした。オーナーが変わるまで、十五年間も全部女将に渡していいたんですから。女将さんが代わった頃は、もうお客さんからチップを貰えなくなっていました」

宇奈月グランドホテルは一九七〇年に開業。バブル期の一九九〇年をピークとして客数は、徐々に減少。二〇一四年に他社へ、さらに二〇一七年には現在の湯快リゾートへ経営を譲渡した。

日本の文化を知らないくせに

ホテルの仕事で、一番キツかったのは、昔から勤めていた六〇代、七〇代のお姉さん（仲居）たちの存在だった。

「勤め出して三年目くらいで、私がお姉さんたちの上になって、仕切らなくてはいけなくなったんです。私は、自分より下の仲居さんにガミガミ叱れません。そうすると、ベテランのお姉さんたちが言うんです」

「あんたはね、鬼になって仕事しないといけないのよ。もっとビシビシ言わなきゃいけない」

それが毎日の戦いだった。

「いつも、あまり気にしていなかったんですが、一回だけ、ああ、もうこの人たちと付き合っていけないわ、もう辞める、と娘の前で涙流してね。ちょうど娘が世界旅行に行く前でウチにいたのです。で、その晩に退職願いを書いて、翌日事務所に持っていったのです」

この頃は、すでに経営者が代わっていて、照子は当時の若女将とうまくいっていなかった。そうしたことも根底にあって、辞めたいという思いが強くなっていた。ところが、滅多にホテルに来ない若女将の叔父である社長にバッタリあった。会議のためにホテルに来ていたのだ。

「あのう、すみません。私、辞めさせていただきます」

「いやいや、ちょっと待ちなさい」

となって理由を話し、退職届は出さずじまいだった。後日、「ちゃんと注意しておきましたから」と社長から連絡があった。その後、お姉さんたちは、大人しくなっていた。

退職まで考えたお姉さんたちの話というのは……。

「私が帰ろうとしていたときに、あの連中四、五人集まって会社のビールを飲んで悪口を言い合っていたんですよ。私、それ聞いてしまった。『日本の文化を知らないくせに』とか。主人は、ブラジルにいたときからの習慣で、仕事中も口笛を吹いていた。それを『非常識だ』とか。主人や私のやっていないこともしゃべっていた。もう、詳しいことは忘れましたけどね」

片や、修のホテルでの仕事はというと、器を準備したり、料理を盛り付け、宴会場に運んだりする中番だった。

「この仕事を七年間やっていたね。僕はミュージシャンだったから、曲が頭に浮かぶと口笛が自然と出てしまう」

「私は、すごく気を使っていたんですが、調理長が注意しなかったから、主人は堂々とやっていた(笑)。それに、ブラジルではアホとか、バカとか冗談半分でよく言う。それを主人は日本語でお姉さんたちに言うから、やはり日本人にしてはキツく受け取られるますよね」

「ブラジルには、先輩後輩もなく、皆友だちだったからね。調理長には可愛がられた。僕たちに子どもがいるからって、残ったものを持っていきなさいとか、親切だったね。僕たち、皆と一緒でなく特別扱いしてくれていたね」

「そうね。だからお姉さんたち、おもしろくなかったかもしれない」

ところで、修がホテルに勤め出して五年目くらいから失業保険や健康保険などを給料から引かれるようになった。すると、手取りは十四、五万円にしかならない。照子の従兄弟や親戚は、工場で働いて、月給三、四十万円をもらっているということだった。それを聞いた修は、ホテルの中番を辞めて、車の部品工場で働きたいと言いだした。子ども時代から、車が好きだったという理由もあった。

このとき四十八歳。おそらく、この年齢で工場で働くのは、いまが最後だと考えた照子は「じゃ、行きなさい」と許した。宇奈月から七十キロも離れた町だったので、修は単身赴任した。ところが、その工場は、二週間ごとに日勤と夜勤がある二交代シフトの勤務だった。四十八歳の身には耐えられなかった。次に見つけた会社は、富山県内のヨーグルト製造の会社。ここで機械に挟まれて足を骨折した。工場責任者は、労災にならないと言っていたが、もう一人の上司は、偶然に怪我をしていた現場を見ていたので、労災が認められた。この時点でヨーグルトの会社は辞めた。「二〇一二年頃だったか、すでに就職先を見つけるのは難しかったです。主人は日本語も書けないし、読めないでしょう。私は宇奈月グランドホテルだけですが、主人は会社を転々としていたから、履歴書を書くのは、どれだけたいへんだったか」と、照子は修の顔を見ながら笑っていた。

それでも、車のバンパーを製造している会社、コンピューターチップの会社と不思議に勤務先が決まっていた。

「でもね、二〇〇八年に起きたリーマンショックでチップの会社はダメになった。そしたら、ホテルの料理長に呼ばれた」

「そう、主人は五年間、ホテルの仕事を離れていたのに、また呼ばれたんですよね。運のいい人ですね（笑）」

「今度は、中番でなく、料理長の手伝いとして野菜を切ったりしていたね」

照子がホテルでの接客が忙しく、家にいないことが多かったので、自宅の食事は、ほとんど修がつくっていた。子どもたちは、よく友だちを家に連れてきていたが、修のブラジル料理はおいしい、おいしいと大人気だった。

「運動会でも先生たちが、仁志君のお弁当おいしそうね、と言っていた。ブラジルのウインナーなどが入っていましたからね」

照子は、一九九五年から二〇一八年の二十四年間を宇奈月グランドホテルに勤めていた。修も通算十二年間同ホテルで働いて、二人は一緒に辞めた。

「私が、二十四年間も勤められたのは、長女姉さんが、十年近く一緒に働いていたからです。すごく心強かった。着物の着付けも教えてもらった。二月に来日したので、お下がりだったけれど、家族全員の冬服も用意してくれました。買い物も一緒に行って、これは高いとか、あれは安いとか、どこに何を売っているかも、説明してくれました。主人と二人だけだったら身動きとれなかったですね」

その姉は、一年半前に甲状腺癌で亡くなり、義理兄も今年コロナで亡くなった。沖縄に来ていて、姉たちのお葬式に行けなかったのが、悔やまれると二人は話していた。姉の娘は、十三年前に里帰りしてそのままロンドリーナに住んでいる。

「いまになっては、ホントにいい修行になったと思っています」

「それと、チップのお金があったから、日本に来て三年目にブラジルへ里帰りできた。念願だった一軒家とアパートの一室もロンドリーナに買うことができたよね」

「本当は、三年経ったときに、そろそろブラジルに戻ろう、と言ったんですよね。そしたら子どもたちがイヤだと反対したのです。もう、すっかり宇奈月に馴染んで友だちがいっぱいいましたから」と二人は顔を見合わわせてしみじみと語った。

即決した沖縄への移住

二〇一七年十二月、ユキたちが世界一周の旅から帰ってきた。そして、予定通り沖縄でカフェを開くために、松尾夫妻にも声がかかった。

「沖縄に来てと言われたときは、すぐに行きたいと返事していました。長女姉さんから富山に来たら、と言われたときと同じように、即決（笑）」

実は、十四年ほど前にユキがＪＡＬのマイルが貯まったと、松尾夫妻を誘って三人で沖縄へ旅行をした。那覇の都ホテルからレンタルカーで、首里城や美ら海水族館などいろいろな観光地を回った。

「街並みや気候がブラジルのようで、はじめて来たところとは思えなかった。二泊三日だったけれど、もっといたいなあ」と、憧れの地となっていた。

さりとて、沖縄で何をするか、まったく考えていなかった。

「なんくるないさあですよ[※1]（笑）。一応、どんな仕事があるか、ちょっとですが、ケータイで調べてはいたんですがね。私、ホテルの経験があるから、多分大丈夫だと思っていました。自信ありました」

「僕は、ユキたちに何かあったらサポートするよ、とは言っていたね」

「本当は、いいお家があったら、一緒に住んでカフェのお手伝いを、とも考えていたんです」

しかし、実際に沖縄へ来て賃貸物件を探したが、思っていたより、ずっと高かった。結局、娘たちとは別に恩納村のアパートを借りることにした。その物件を見に行くと、ラッキーなことに、すぐ近くに「島時間」という沖縄そば屋があった。「アルバイト募集」の看板も掲げられていた。

「電話番号が書いてあったので、すぐ電話をして、翌日に面接をして、もう三日後から二人ともスタートです。とりあえず、なんとか食べていけるだけでもいいので、ここに決めたんですね。主人は料理をつくり、私は、ホール、カウンターの接客とキッチンの補助も少し」

「オーナーさんが優しくて、いい人だったね。もうすぐ三年目になるけど、僕はここで沖縄料

※1　方言で「なんとかなる」という意味で使われているが、正しくは「なんくる＝自然に」という方言で「くじけずに正しい道を歩むべく努力すれば、いつか良い日が来る」という意味。

理を全部覚えたね」

その数カ月後に「ビバ・ラ・コーヒー」は、オープンした。修は、ブラジル料理のメニューづくりに参加して、週末には料理人として手伝っている。

「僕がいないときは、ユキがブラジル料理をつくっているね。すごく上手になった」

最後に照子は言った。

「コロナが落ち着いたらブラジルに行って私たちの家を売却して、沖縄で古民家みたいな小さな家を買いたい。自分たちで改装してのんびり過ごせたらな、という夢を持っています。国籍は、まだブラジルだけど帰るつもりはありません。もう母も姉も死んでいないし、私の家族はここ日本ですから。ああ、息子は富山にいます」

修は照子の顔を見ながらこう言った。

「宇奈月もいいところだったけど、沖縄大好きね。いまが一番しあわせだね。たまに夕日を眺めに恩納村のビーチを散歩している。心置きなく口笛を吹きながらだよ」

第四章　ブラジル帰国子女

「東京ラブストーリー」に憧れて
夢を追い続けて
両親とカフェをオープン

浦崎涼子。「カフェ・ベイジャフロー」の中庭で

ブラジル料理

Café Beija-flor（カフェ・ベイジャフロー）沖縄県中頭郡読谷村波平

浦崎 涼子

ブラジル生まれ、1979（昭和54）年生まれ

beija-flor（ベイジャフロー）は、ポルトガル語でハチドリ。beija＝キス、flor＝花、つまり、花にキスをするという意味を持つ。このステキな店名は、「ハチドリが花の蜜を追い求めるように、多くのお客さまにいらしていただきたい」というオーナー浦崎涼子の願いが込められている。第三章までに登場する日系人とは異なり、彼女はブラジル生まれの帰国子女だ。十四歳のときに単身で沖縄へ来た。それ以来、ずっと両親と離れて沖縄に住んでいた。だから、両親がブラジルから帰国した際には、一緒にブラジル料理のカフェを、という夢を追い続けていた。

その夢が実現したのは二〇一九年八月だった。中心街から離れた住宅街にもかかわらず、日々予約客で席は埋まる。多分、ブラジルの陽気な空気を感じるオシャレな店舗、洗練されたブラジル家庭料理、オーナーのチャーミングな笑顔からか。

店名に相応しいカフェが、かつて米軍の通信施設地だったこの読谷村の一角を明るくしている。

紺碧の空に真っ白な外装。小じゃれた「カフェ・ベイジャフロー」

両親と

日本に行きたい

一九七九年、涼子はリオデジャネイロの病院で産声をあげた。嘉手川夫妻の次女だった。

寺崎電気産業に勤めていた涼子の父親は、海外に行きたいという希望を会社に出したところ、最初はシンガポールに転勤、次にブラジルを命じられた。一九七五年、二十四歳だった。任務はブラジル支社を立ち上げること。わずか五人での出発だった。

ポルトガル語は行く前にベルリッツで集中講義を受けて「これで、現地に行っても大丈夫」と思っていた。しかし、実際に行ってみると、リオデジャネイロの人たちの話すカリオカ言葉は語尾を略すし、隠語が多い。「半分も理解できなかったですよ」と父親の嘉手川重成は言う。

当初五年ということだった。それが十年、十五年、二十年。さらに伸びて、ブラジルに精通している人材が社内にいないということで三十九年もの歳月が経っていた。その間、新事業を軌道にのせ、最後は支社長を務めていた。

社内結婚だった涼子の母親は、専業主婦として夫を支え、三人の娘の出産時にも日本に帰らなかった。近所に日系の看護師がいて、何かと世話をしてくれたという。

涼子は、三歳になると現地のミラフローレス幼稚園に通い、子どもたちとポルトガル語で会話をしていた。

ミラフローレス幼稚園の先生たちと

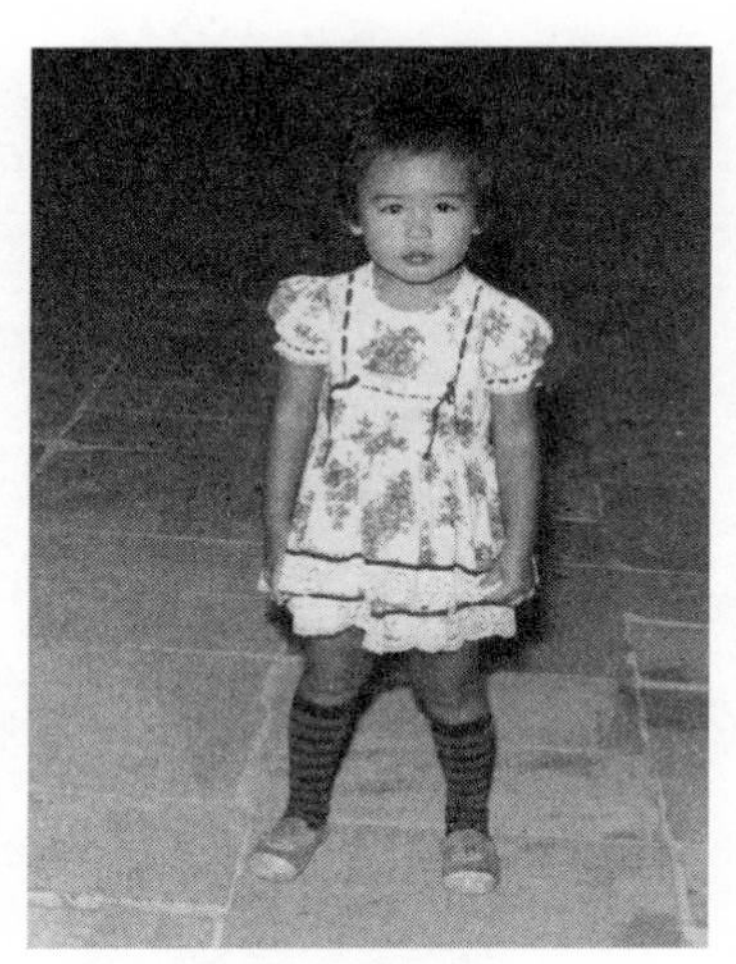

自分で切って短くなった前髪

「十時のおやつタイムが好きでした。おやつボックスにバナナやチョコレートを持っていったり、ときには通園途中の店でパンを買ったこともありました。皆、思い思いに床にあぐらをかいて食べていましたね。不思議なことに、おやつタイムの匂いは覚えているんです。いろいろなおやつの匂いが混ざったような日本にはない匂いです。多分、香辛料でしょうね。ああ、それからFesta Junina（フェスタ・ジュニーナ）の衣装を着て皆でダンスをしたことも覚えています。なぜなら、前日にどうしてがわからないけど自分で前髪を切ってしまい、その短い髪の写真が残っているからです」と涼子は笑う。

フェスタ・ジュニーナとは、六月中旬にブラジル全土で行われる収穫祭。十六、七世紀にポルトガルから持ち込まれた祭で、六月二十四日の聖ジョアン・バチスタを中心に同月十三日の聖アントニオの日と二十九日の聖ペドロの日を合わせて祝う祭りである。

小学校は、リオデジャネイロで唯一のリオデジャネイロ日本人学校に入学。スクールバスで通っていた。

「入学したときは、生徒が多かったです。でも、多分バブルがはじけた頃だと思います。だんだん日本企業が撤退したり、規模を縮小したりで、私が中学校に上がる頃には、もうクラスには

三姉妹。右が涼子

十人くらいしかいなかったです」

確かに、涼子の中学生だった一九九三年には、日本のバブル経済が崩壊して、株価や地価が急落、企業への打撃は深刻だった。

そもそも、多くの日系企業がブラジルに進出しはじめたのは一九六〇年代後半から七〇年代前半。「ブラジル経済の奇跡」といわれた時代だ。そのため、駐在員の子弟教育として一九七一年にリオデジャネイロ日本人学校は設立された。一九七九年には生徒数が四〇〇人とピークに達していたが、それ以降は減少していった（リオデジャネイロ日本人学校Ｗｅｂサイトより）。

「私は、十四歳になるまで、一時帰国という感じで二、三回日本に来ていたんです。父の会社がある大阪に行ったり、沖縄のおばあちゃんの家に数日滞在したりしていました。両親とも沖縄出身でしたから」

涼子は、よく日本のテレビ番組をビデオで見ていた。なかでも一番印象に残っているのが、日本でも大ヒットした「東京ラブストーリー」だった。

「日本では、こんなカッコいい大人がいるんだ。こんな大人になれたらいいな、とずっと日本に憧れていたんです」

リオデジャネイロ日本人学校は、義務教育である小学校と中学校までしかない。そのため、生

日本人学校の修学旅行でコーヒー豆の収穫体験

徒は、中学校に入学した頃には、地元の高校か、それともアメリカンスクールに行くかを決めなくてはならない。姉と妹は、アメリカンスクールに進学した。しかし、涼子は、どうしても日本の高校に行きたかった。そして、両親に懇願した。

「日本に行きたい、日本の高校に入りたい」

すると両親は、こう言った。

「だったら、祖父母のいる沖縄に行きなさい」

親元を離れて強くなったかな

一九九三年四月、涼子は十四歳、中学三年になるときに沖縄へ来た。どんな高校に行くか、また自分の学力を知るためにも一年間は沖縄の中学校に入って高校受験の準備をしようと考えたのだ。

「家では日本語、小学校と中学校でも日本語だったので言葉は問題ないと思っていました。もう、日本に来ることができたというだけで、ワクワクだったんです。心細いとかそんな思いは全然なかったですね」

もっとも、中学校に入るための準備などがあって、母親と一緒に沖縄に来ていたので、心強かったわけだ。落ち着き先は、沖縄市安慶田（あげだ）にある父方の祖父母の家だった。校区内には、同年の従姉妹がいたので、同じ安慶田中学校に入学し、同じクラスにしてもらった。

「入学して一クラス四十名もいたので、これにはびっくり。何しろ日本人学校では十名だったでしょ。あとは、方言がまったくわからなかったこと。アクセントやイントネーションが違うだけで理解できないんです。標準語の日本語はわかるんですが、これが同じ日本語なのかと。従姉妹に助けてもらいながら勉強をしていました。多分、彼女がいなかったら、ついていけなかったと思います」

両親はともに沖縄出身者だったが、大阪に長く住んでいたため、沖縄の方言はほとんど話さず、むしろ大阪弁だった。といっても生粋の大阪弁でもなかったかもしれない。しかし、涼子は、両親の話す言葉が標準語だと思っていたのだ。

沖縄に来た当初は、母親もいたので寂しさを感じなかった。ところが、

「やはり友だちと離れたことが、ジワジワと胸に迫ってきて、もちろん沖縄の子たちも優しかったし、お友だちもできたのですが……。特に母がブラジルに帰ってからは、結構キツかったかな。おばあちゃんやおじいちゃんとは、小さいときから知っていたわけではなく、数回しか

会ったことがなかったでしょ。だから、他人行儀なところがあって、ちょっと甘えられなかった。おばあちゃんとおじいちゃんもすごく気を遣ってくれていたと思いますね。最初の一年間で随分と精神的に強くなったかな」

高校は、県立コザ高校に入学することができた。ブラジルの日本人学校では、人数が少なかったので、学力は高い方だった。特に数学の成績がよかった。しかし、高校になるとかなり難しくなり、逆に国語が得意になった。弁論大会でコザ高校の代表に選ばれて、県の弁論大会に出場したことがある。

「先生とすごく練習したんです。私は、本番に強いのかなんだか、三十分か四十分の制限時間に喋りきれなくて、入賞を逃してしまった」

その後、ＮＨＫ「青年の主張」という番組で、「出てみませんか」と、先生を通して声をかけられた。しかし、収録日が大学受験日と重なって参加できなかった。

「このときの題名は、よく覚えていないけれど、『本当の豊かさとは』みたいな。ブラジルは、日本より貧しい国で、日本は豊かな国と言われているが、ブラジルにいてそういう貧しさを感じなかったのはなぜか？　それは、豊かさとは物質ではなく心の豊かさではないか、という話をしたのです。

ブラジルの方々はすごく大らかで、優しくて何があっても苦しい顔をしない。なんとかなるよ、という精神だったので、それを皆さんに伝えたいなと思ったのです。ブラジル人は音楽があるとすぐ踊る。その点では、沖縄の方も似ている。沖縄でよかったなあと思います。皆、優しくて明るくて、なんくるないさあというのも似ていますよね」

彼を見て「ビビッときた」

日本人学校では、本気で部活をしていなかった。だが、安慶田中学校では、従姉妹が吹奏楽部に入っていたので涼子も入部。さらにコザ高校でも吹奏楽部に所属した。

「私はパーカッションを担当して、もうどっぷりと浸かっていましたね。主にクラシックを演奏していましたが、定期演奏会ではポップスをやったりしていたんです。私はどちらかというとJ－POPが好きだった。そうそう、THE BOOM『風になりたい』を演奏していましたね。部員は、小学校からやっている子が多く、私はなかなかそのレベルには追いついていけなかったという感じです。でも楽しかった」

コザ高校の吹奏楽部は、九州大会や全国大会で幾度か金賞を獲得している名門である。

高校三年のときに、涼子は、コザにある予備校の進学館ＲＵＮで浦崎政樹と知り合った。同じコザ高校だったが、彼はサッカー部。それに、十二クラスもあり、文系と理系で階も違っていたため、互いに顔を合わせることはなかった。ただ、政樹は、ブラジルから来た子がいるらしい、ということだけは聞いていた。

ところが、涼子は予備校で政樹を見たとたん、

「すごく優しそうな人だなとビビッときたんです（笑）。はじめて会話をしたのは『たまごっち』だったんですよ。あの頃、すごく流行っていて、彼は育てるのがすごくうまかった」

それから、二人は一緒に勉強をするようになった。

「夏休みの追い込みイベントで予備校生の皆とビーチパーティーがあったんですね。この頃からどんどん親しくなっていったかな」

大学は、沖縄キリスト教短期大学英文科に推薦入試で入学。同時に、宜野湾のミスタードーナツでアルバイトをはじめた。建築の専門学校に入学した正樹も、同じ店でアルバイトをするようになった。涼子は接客、政樹はキッチンでドーナツを揚げていた。それぞれ授業が終わって夕方から店に入り、夜は開店後のクローズ作業を行うので、帰宅はときに夜中の二時を回るときもあっ

た。

「それでも翌朝はちゃんと起きて大学で授業を受けていましたよ。若かったから（笑）」

この頃は、涼子の姉も琉球大学に通っていたので一緒に住んでいた。

「アルバイトは一年半続けました。お客さんとのやり取りが楽しくて、嫌だと思ったことはないです。私は、英文科だったので、アメリカ人のお客さんとのコミュニケーションも楽しかったです。それから、はじめてお金を稼ぐことは楽でないな、ということを知りました。その経験が後にレストランを持ちたいという思いにつながったと思います」

このときのアルバイト代は、時給六〇〇円、十時以降の深夜手当は八〇〇円だった。当時、一九九八年の沖縄の最低賃金額が六二七円だったので、バイト代としてはいいとは言えない（厚生労働省沖縄労働局平成二十五年発表）。

涼子のアルバイト代は、学費や生活費は親の仕送りがあったので、もっぱら貯金と遊びのため。片や政樹はアルバイト代で車を買った。それからというもの、二人は沖縄中をドライブデートして楽しんだ。

卒業後、涼子は読谷のホテルに隣接した「ブライダルハウスＴＵＴＵ」でウエディング・プランナーとして仕事。政樹は、建築会社に勤務した。

そして、二〇〇三年の二月末、互いに一週間の休暇をとり、涼子の両親に結婚の承諾を得るためブラジルへ向かった。リオのカーニバルが終わったときだった。政樹は旅の思い出をこう語った。

「ご両親との初対面なので緊張しかなかったです（笑）。それに、はじめての海外旅行だったし……。ブラジルでは、ちょうど僕の二十三歳の誕生日でお母さんがケーキをつくってくれましたね」

翌年、二人はゴールインした。

両親と一緒の時間を

涼子は結婚してハッと気づいた。

「もう、両親と一緒に暮らすことってないんだなあ。私は、たった十四年間しか親と一緒にいなかった。やはり十四歳で親元を離れたというのは、早すぎたんだろうか」

こんな両親への思いが込み上げてきた。

「父が定年退職したら、絶対に両親を沖縄に呼んで一緒の時間を過ごしたい」

2003年2月、結婚の承諾を得るためにブラジルへ。マラカナンスタジアムで

コルコバードの丘に立つキリスト像の前で涼子と政樹

こう思った涼子は、両親と一緒にできることは何だろうか、何ができるだろうか、と考えるようになっていた。

「やるならカフェだな。母のおいしい料理と父にはコーヒーを入れてもらって……」

こうした夢を描くようになっていった。夫も巻き込んで同じ夢を追うようになった。

もともと料理は好きだった。学校から帰るとすぐに台所に走り、母親の隣で料理をするのを見て、夕飯までおしゃべりするのが日常だった。姉妹のなかで一番、涼子が母親とともにキッチンにいる時間が長かった。

「母は、とっても料理上手で、何でもつくっていました。日本料理も上手だったし、特に日本のおやつのおはぎやドラ焼きはあんこからすべて自分でつくっていた。ケーキなど、私たちが食べていたおやつもすべて母の手づくりでした。もちろん、ブラジル料理も得意でしたね」

そんなわけで、涼子も自然に料理に興味を持つようになっていた。

「でも、そのときは、仕事にするとはまったく思っていなかったです」

やがて、父親がブラジルから大阪本社に転勤になり、二年後には定年退職を迎えた。そして、二〇一八年四月に両親は沖縄に帰ってくることになった。

ちょうどその年、十数年前に購入していた土地の建築許可が下りた。現在、「カフェ・ベイジャフロー」が建っている土地だ。

「ここは、いまのような住宅地ではなく、区画整理もされていませんでした。知人から『こんな土地があるよ』と声をかけていただいたんです。ただ五、六年、建築物は建てられないという話でした。でも、夫と話し合って買うことにしたのです。そのときは、具体的にカフェの構想はありませんでした。それが、両親が沖縄に帰ってくるタイミングで住居を建ててもいいという許可が下りたのです。もう、これはカフェをやるしかないでしょ」


「カフェ・ベイジャフロー」の建っている読谷村波平は、戦後、米軍の通信傍受施設の楚辺通信所が建てられていた。別名「象のオリ」と呼ばれていたように、直径二〇〇メートル、高さ二十八メートルの一〇〇本を超えるアンテナがまるで檻のように円形に設置されていた。その施設が、金武町のキャンプ・ハンセンへの移転にともない、二〇〇六年十二月に返還された。しかし、アンテナ群の撤去や土地の整備、地主との協議がまとまって涼子たちに建築許可が下りたのは二〇一七年だった（読谷バーチャル平和資料館より）。

両親と一緒にカフェを開くという涼子の夢は、実現に向けて動き出した。勤めていたブライダルの会社を辞めて、基礎から料理を学ぼうと、沖縄市のライカム料理教室に通いはじめた。両親もカフェをつくることに大賛成。そればかりか、父親は沖縄に来るやいなや、パン教室に通い出した。

計画して二年余りが過ぎた。店名は、ブラジルを代表する鳥のハチドリ（beija flor）と決めた。カフェの設計は、建築関係の仕事をしている政樹が手がけて、店のロゴはデザイナーの友人にイメージを伝えてつくってもらった。メニューの開発は、オープンするまで毎日のようにつくっては食べてを繰り返していた。

夢は実現する

二〇一九年八月、「カフェ・ベイジャフロー」はオープンの日を迎えた。

「へんぴな場所で、地図でもなかなか出てこない。迷われたりする方がいました。『読谷は閉鎖的で他から入って来る人にはあまり歓迎しないよ』と言われたこともありました。だから、すごく不安だったんですね。でも、そんなことは全然なかったです。思った以上にご近所の方たちが、リピート客となって応援してくださるので嬉しい。また『うちで採れたから』と果物を持ってきてくださったり、皆さん温かい方ばかり。ラッキーだったなと思っています」

ブラジル家庭料理の定番「フェイジョンプレート」

店内にはクリスタルのハチドリ

ブラジル料理の評判もよく、ブラジル人がよく来店する。涼子は、幼稚園時代まではポルトガル語を不自由なく話していたが、「だいぶ忘れました。何を言っているかはわかるし、片言は話せますが、せっかく十四歳までブラジルにいたのにもったいないですよね」と残念がった。

コロナ禍の影響はあるが、Facebook と Instagram のフォロアーも日々、増えて読谷村の人気カフェになっている。

食材は地元で仕入れているが、唯一ブラジルのソールフードであるフェイジョン（豆の煮込み）の豆は、ブラジルの豆をインターネットで取り寄せている。人気メニューは、このフェイジョンだが、自家製のルーからつくるカレーも好評だ。

「料理の仕込みは母と私でやっていますが、メインの料理は母。接客は主に私がやっています。いま、カフェを開くという大きな夢は叶えました。次は、パンづくりの教室を開ける資格のブレッドライセンスを取得したので、空いている時間でパン教室ができたらいいなあ。結構、この辺は子どもさんが多いので、夏休みとか、教室を開けると楽しいかなと考えています」

そして、最後の夢は「私たち、子どもがいないでしょ。夫がいまの会社をリタイアしたら、一緒にこの店をやること。いまから楽しみです。もちろん、夫もやりたいと言っていますよ」と涼子は嬉しそうに語っていた。

一年後、再び「カフェ・ベイジャフロー」を訪れると、涼子と政樹が出迎えてくれた。

「昨年の暮れまで、週末は店に立ってお店の状況を見ていたんです。お客さんもついて来ていたし、これなら僕が会社を辞めても大丈夫。お店を手伝おう、ということになったんです」

正樹は、それまで勤務していた建設会社を辞めて、いま店を一緒に切り盛りしている。涼子の夢は超スピードで実現した。いま、正樹の入れるオリジナルブレンドコーヒーは、「カフェ・ベイジャフロー」にとって欠かすことのできない一品になっている。

第五章　ペルー日系人　料理人ではないけれど

国籍・肌の色・ハンディキャップで差別しない音楽劇「Tのシンカ」を子どもたちと

「グローバルコミュニティ」の屋比久カルロス代表と子どもたちとカホンを制作したミュージシャンのアルベルト城間氏

任意団体グローバルコミュニティ
沖縄県沖縄市中央

屋比久 カルロス

三世、1976（昭和51）年生まれ

事業の目標の一つは「子どもたちに自信をつけてもらうこと」と語るのは、任意団体[※1]の「グローバルコミュニティ」の屋比久カルロス代表だ。

いま、子どもたちと一緒に、「T(てぃ)のシンカ」の練習に励んでいる。空手・カホン・エイサーの三つを融合させた音楽劇である。

この「T」には、二つの意味を持たせている。その一つ、昔、沖縄では空手のことを手（てぃ）と言っていた。もう一つは、空手もカホンもエイサーも手によるパフォーマンスであること。また「シンカ」は、沖縄の方言で仲間、同時に一年前に発表した「T(手)の遺伝子」[※2]より、さらなる「進化」を成し遂げようとしての「シンカ」。ということで音楽劇のタイトルを「T(てぃ)のシンカ」とした。

カルロスは、数カ月前までKoza International Plaza（コザ インターナショナル プラザ 通称KIP）[※3]のセンター長を務めていた。当時から、「グローバルコミュニティ」の活動も行っていたが、いまは、この活動に専念している。自分が取り組まなくてはいけない大きなテーマに挑戦したいからだという。そこには、やはり日系二世であることが大きくかかわっている。

本書では、料理人を取材対象としていたが、カルロスの歩んできた道もたいへん興味深く、掲載することにした。

リマの中心街でパン屋を経営

「僕は十四歳までペルーにいたので、スペイン語が主な言語でした。だけど、いまは日本語かどっちかわからないです」とカルロスは話しはじめた。

父親の屋比久孟吉（もうきち）は、いまの南城市佐敷からブラジルに渡った。カルロスが父親の古いパスポートを見つけ、移住したのが一九三三年だったことがわかった。その後、一九六五年三十五歳のときペルーに渡っている。逆算すると、父親がはじめてブラジルの土を踏んだのは三歳のときになる。

一九三三年といえば、翌年も含めて沖縄からブラジルへ移住した人がもっとも多く、二万人を

※1　団体として活動しているが、法人ではない。

※2　ヒップホップ・空手・ラテンダンス・エイサーを融合、沖縄市の歴史も盛り込んだ子どもたちによる音楽劇。

※3　コザ沖縄在留の外国人を支援するための国際交流施設。

超えていた（「海外移住統計」海外移住事業団　昭和四十四年十月）。

孟吉は、ブラジルで農業をやっていたが、暮らしは楽ではなかった。ペルーでパン屋を経営している親類に呼ばれたのか、頼ってペルーに渡ったかはわからない。だが、その親類からパンづくりの特訓を受けて開業。店ではパンだけでなく、菓子やケーキ、雑貨類も売っていた。店名は「Panadería Huiracocha（パナデリーア・ウイラコーチャ＝ウイラコーチャパン屋）」。ウイラコーチャ通りからつけられた店名だった。

毎朝、工場で孟吉がパン生地を仕込み、夜二人、昼一人の職人が交代で焼いていた。店は、両親と従業員一人が働いていた。一時期、家事手伝いを雇っていたが、どうも母の文子は、他人に任すことを好まず、自分で家事をこなしていたようだ。週末は、閉店していたが両親は、仕込みなどで休む暇なく働いていた。

カルロスは、当時を思い出して言う。

「両親と出かけたとか、遊んだ記憶は年に一回か二回ですね。日系人で海に行ったとか、動物園に行ったとか、そういう記憶しかないです。朝の六時から夜の九時、十時まで店を開けていましたから、休憩するのは昼休みの一時間くらいでしたかね。当時は、まだスーパーでパンを買う習慣がなく、毎朝、お客さんはパンを買うために並んでいたのを覚えています。私が生まれる前

1973年4月17日両親は結婚。父45歳、母32歳。リマ市内の中華レストランを
借り切って盛大に行った結婚式

母に抱かれている生後2カ月の姉、父方の祖父母（中央）、
父（上左）と父の従兄弟夫婦。ウイラコーチャパン屋の店先で

までは、ケーキもつくっていたらしいですが、その後はパンだけになっていた。あとはお菓子とか」

こうした日常が、沖縄に来るまで続いていた。

母親の文子はというと、北谷の出身。一九七二年、三十一歳のときに叔父の付き添いでペルーのリマに渡った。すぐに沖縄に戻るつもりで従兄弟の家にお世話になっていたが、父親に出会って結婚、そのままペルーに残った。

「私の母は、従兄弟の経営していたレストランで、父を知人から紹介されたと言っていました。というか、お見合いさせられたんでしょうね。母は、スペイン語よりウチナーグチの方が達者でした。父は、スペイン語を話していたけれど、ブラジルに三十年以上もいたのでポルトガル訛りのスペイン語（笑）。当時、父方の祖父母も一緒に住んでいて、家では皆がウチナーグチでした。だから、僕はウチナーグチが日本語だと思っていたんですよ（笑）」

カルロスが生まれ育ったのは、リマ市Jesús María（ヘスス・マリア）の街でリマ市の中心街だ。小学校は六年と中学校五年まであって、家から徒歩で十分ほどの私立サン・アントニオ・デ・パデゥア校に通っていた。

「ここは、インターナショナルスクールではないが、英語に力を入れていた学校だったんです。月水金がスペイン語、火木が英語の授業という。僕のクラスは生徒が四十名いて、日系の子が八

母とカルロスが6、7歳の頃。ウイラコーチャパン屋では
菓子やジャムなどの瓶詰めも販売

名いましたね。日系人がいたからではなく、たまたま家から近かったので、ここに入学したまでです」

カルロスは、この学校に中学三年まで通っていた。

「友人には日系人もいたし、近所の友だちともよく遊んだ。口笛を吹くと、一人出てきて、二人出てきてというようにね。ストリートサッカーとか、ちゃんとしたサッカーボールで遊んでいました。幼かった頃はかくれんぼをしていたかな。何しろ、自宅の敷地が広かった。パン工場があって倉庫もあって、そこを自転車でグルグル回って、中庭でも走り回っていました。楽しかったですね」

いまでもペルーにいる友人とはメールでつながっているという。日系人も多く、沖縄にルーツのある人も何名かいる。皆、いい大学に行って、医者になった人もいるし、アメリカやイタリアにいる友人もいるとのことだ。

一九八〇年代に入ると、ペルーは左翼ゲリラの活動が激しく、日系人に対しても爆弾が仕掛けられたことがあった。屋比久家の自宅と店は、在ペルー日本大使館に近いこともあり、日々治安が悪くなっていった。

やがて、日系二世で中道右派のアルベルト・フジモリが大統領に出馬するという話が持ち上がった。もし、大統領になった場合、左翼ゲリラによるテロ活動はますます活発になる。この時期、多くの日系人が日本に帰還したように、屋比久家四人（両親と姉とカルロス）もペルーを引き揚げることにした。自宅兼店はすべて売却することができた。

一九九〇年にアルベルト・フジモリ大統領が誕生する数カ月前のことだった。

チャンスに恵まれた中学高校生時代

沖縄に来た一家は、伯母が所有していた北谷の小さなアパートに住むことになった。

「ペルーの家は大きかったけれど、ここでは四畳半が三部屋だけ。狭い。何で沖縄に来たかと不満でした。でも、いまは日本の小さな家に慣れたから平気（笑）」

沖縄に来て父親は空港の滑走路の整備、母は沖縄綿久寝具というシーツを洗濯する会社で働きはじめた。両親は、ウチナーグチを話すことができたので言葉に関して大きな問題なかった。

カルロスはというと、沖縄に来て辛かったのは友だちに会えなくなったこと。また、何といっても苦労したのは日本語だった。来たときは十四歳で、ペルーでは中学三年、本来、沖縄だったら中学二年だ。しかし、日本語を覚えるためにいったん北谷小学校六年に編入した。

ペルーにいたとき、小学校時代だったが週一回日本語学校に通っていたので、「おはよう、ありがとう」の挨拶、簡単な会話はわかっていた。ところが、いざ話してみたら通じない。先生に「ウチナーグチを話さない方がいい。そうでないと日本語を覚えないよ」と注意された。

「え、ウチナーグチって何、ですよね(笑)。僕はこの日本語しか知らないでしょう。ショックでしたよ」

北谷中学校に入っても、一、二年は、授業についていけなかった。

「小学校低学年のときは、勉強していなかったので成績はあまりよくなかったんです。だけど、小学六年のときに日本に旅行してからは、気持ちが変わったんですね。それからは一生懸命に勉強して優等生になっていた。ところが、こっちに来たら馬鹿になったようで……。しょうがないと言えばしょうがないですよね。まったく外国人と同じでしたから」

かなり、自尊心を傷つけられたが、その一方で日本での教育環境には満足していた。例えば、ペルーでは給食がなかったので、ロンチェーラというランチボックスにお弁当を持っていったが、ランチタイムは短く、満足に食べることができなかった。

「自分は背が低かったんですよ。クラスのなかでも前から三、四番目だった。それが、こっちに来てグーンと伸びたんです。多分、喘息持ちだったし、お店をやっていたからお菓子は食べ放題。

しょっちゅうお腹を壊していた。ところが沖縄では昼休みが長く、バランスのいい給食がある。スポーツもやるようになったし、それで健康になったかな。喘息も治ったし」

笑える話もある。

「僕、ペルーでサッカーは下手だった。ですが、ここではストライカー扱いされて、すごい上手だと言われました（笑）。それから、中学校で、外国人が入って来るということで、皆、青い目で金髪の人が入ってくると思っていたらしいのです。ところが僕を見て『なんだ日本人じゃないか』とがっかりされた（笑）」

さらには、沖縄には、さまざまなチャンスがあることにも感激していた。

中学生のときに、日本語の意見発表会で学校代表に選ばれ、沖縄中頭郡の大会に参加したことがあった。

「そのときの話は、日本とペルーの文化や言葉の違い、自分がどういうところに悩んでいるか、友だちがどうしたらできるかなどです。よく覚えていないのですが、アイデンティティーについて話したんじゃないかな。それをきっかけに、皆、自分に対する接し方が変わりましたね。日本語が多少おかしくても、からかわれなくなりました」

高校では、英語の弁論大会があって、このときも学校代表に選ばれて県大会で二位を獲得、九州大会に参加している。

「さすがに、九州大会は全然ダメでした。テーマはやはりアイデンティティーでした」

一番大きなチャンスを与えてもらったのは高校三年生のとき。「ＡＩＵ高校生国際交流プログラム」に参加して、三週間アメリカへ研修に行くことができたことだ。

「選ばれるには、書類審査とワークショップで日本語ですが、自分の意見をプレゼンしなくてはいけません。私は、大学受験も控えていたし、どうせ選ばれないだろうと、気楽にプレッシャーもなく、普段通りしゃべっていた。そしたら選ばれた（笑）。コミュニケーション力を審査されていたんですね」

このプログラムは、各県から一、二名が派遣され、このときは沖縄から二名選ばれていた。渡航費、食費、プログラム参加費用、チップ代まですべて支給され、宿泊はプリンストン大学の寮だった。

ホワイトハウス、ＦＢＩ、ペンタゴン、エンパイアー・ステート・ビル、ハーレムも見学した。ただ、移動バスのなかでは、見学場所の歴史を調べて発表。また、現地の高校生に英語で日本についての紹介もしなければならなかった。カルロスのグループは、日本の裁判制度について寸劇を交えながら紹介。さらに、アメリカと日本の銃規制を比較しながら意見交換をした。

AIU高校生国際交流プログラムでアメリカへ短期留学。プリンストン大学の寮にて

AIU高校生国際交流プログラムでラテンアメリカのルームメイトと

「この研修旅行は、自分にとって海外へ目を向ける意識変化になりました。たまたまルームメイトにラテン系の人がいて、スペイン語で会話もできました。他のルームメイトとは、よくわからないながら英語でコミュニケーションしていましたね」

こんな貴重な体験ができた中学高校時代だが、悔しい思いをしたことがあった。一度だけケンカして同級生を殴ったのだ。

「自分は学校でも大人しい方だったんです。空手もはじめていたので、手を出したらいけない、我慢しなきゃいけないと思っていた。だけど我慢できなかったんですね。つい手が。このときは確か日本語を冷やかされたことが原因でした」

こうした中高時代を送ったカルロスだが、いい時期に沖縄に来てよかったと言っている。現在のリマは、大きなショッピングセンターができ、日系人の店や、屋比久家が経営していたような小さな店は、どんどん潰れているという。

「タイミングよかったです。ペルーにいるときは、そんなこと全然思わなかった。あっちだったら、裕福だったのに、沖縄で貧乏しててと。いまはそう思わない。ペルーにいたら、もしかして大学を出てもパン屋を継ぐことになっていたかもしれない。ここに来て、いろいろな経験をさせてもらい、出会いもあって海外も行けて、よかったかなと思っています」

京都外語大からスペインへ留学

カルロスは、京都外国語大学に進んだ。推薦入学だったが、入学試験も受けた。内申書も提出して五十五人中の五十五番目で受かった。

「ぎりぎりセーフ（笑）。内申書のおかげですね。高校では生徒会の会計役員をやっていたし、スポーツもやっていたのでよかったのでは。もしやっていなかったら、ダメだったかも。中学はサッカー、高校からは空手をやっていたのです」

本当は高校でもサッカーをやる予定だった。友だちから「空手をやるから遊びに来てよ」と誘われ、行ってみたら先生が「ああ、これで大会出られるね」といつの間にか入部させられていた。しかも、翌週の空手大会にまで出場させられた。その結果はというと、

「たまたま自分より大きい黒帯の人に当たって、思いっきり蹴られたんです。悔しくて、今度はボコボコにしてやろうと、空手をそのまま続けることにしたんです。そしたら、その人はすでに引退していた（笑）」

それ以降、数年間のブランクがあったが、息子たちが空手をはじめてからカルロスも一緒にやるようになった。かれこれ十年以上続けている。高校生のときよりもずっと成績がいいし、ＪＩＣＡ沖縄国際センターで働いていたときや幼稚園では教える立場になった。

余談だが、カルロスの長男は、沖縄代表で九州大会、全国大会に出場。次男も二〇二一年八月末に沖縄代表で全国大会に出場する。

「いずれの日か、親子で全国大会に出られたらいいな」とカルロスは嬉しそうに言っていた。

京都外国語大学では、外国語を専攻して、スペイン語と英語の教員免許を取得。スペイン語の免許を取るためには英語も取らなくてはいけなかったので両方の免許を取ったというわけだ。

大学生活は、実に充実していた。大阪にある沖縄県人会の寮に住んでいたため、住居費はかからず、夕食代として月に一万円ほど支払うだけ。通訳のバイトや寮の近くの焼きとり屋でもバイトをしていた。

「焼きとり屋は自分が最初で、その後、寮の友人も誘い、最終的に五、六人がバイトしていたんです。ここは沖縄バーか、と言われるくらいだった（笑）。その店で食事をして、よく飲んだ。マスターが『誰がそこまで飲んでいいと言ったか』と怒っていました（笑）」

こうして貯めたお金で、夏休みは海外旅行をしていた。寮にはエアコンがなく、暑くてとてもじゃないがいられなかった。しかも、当時は関西空港から沖縄に帰るより、格安航空チケットで海外旅行をした方がはるかに安かったからだ。

また、二年の夏休みには二週間ほどアメリカへ行って英語を勉強した。宿泊費がなかったのでサンディエゴの友人に世話になった。

「無料で教えてくれる夜間学校があるんです。自分で探して登録して受講しましたが、結構、英語のレベルは高かったですね。アジア系やラテン系の人が多く、授業が終わったあと、それぞれの国の話をしたり、パーティーに誘われたり。皆、英語が話せないと仕事につけないし、いい生活もできないと必死で勉強していました」

カルロスは、この夜間学校で英語だけでなく、自分とは違うもう一つの世界があることも学んでいた。

そして、高校のときのように大学三年でも大きなチャンスが巡ってきた。

京都外語大学は、協定校であるスペインのサラマンカ大学かバルセロナのナバラ大学へ、毎年、大学院生を派遣している。しかし、その年は該当者がいなかった。

「僕に白羽の矢が立ったのです。本当はバルセロナに行きたかったのですが、『サラマンカに行って勉強して来い』ということになって。ところが、僕は十四歳のときのスペイン語レベルですから、大学の講義がわかるわけではない。しかも、受講したのは、ITを使って翻訳のスキルを学ぶ講義です。あまりに難しすぎた。スペイン語というより、インターネットの知識がないと理解できません。苦労しました。この授業以外に、留学生が受ける講義があったのですが、そこでは、スペインの歴史から芸術を学び、単位を取って修了証書をもらいました」

講義はかなりハードだったが、休暇をフルに利用してスペインからバスでヨーロッパを旅行。モロッコへも足を伸ばした。

「このときは、船で行ったんですが、乗船すると現地の人だけ。東洋人は珍しいらしく、ずっと見られていました。英語もスペイン語も通じなかったので全然喋らなかった（笑）。チュニジアへは飛行機を使いサハラ砂漠へ行ってきました」

一年間、貴重な経験をして、日本に戻ってきたが、すでにその頃は、ほぼ就職活動は終わっていた。募集もあまりなかった。

実は、カルロスが大学に入学するとき、カルロスという名前をそのまま使うか、日本名の孟清（もうせい）に変えるか迷っていた。しかし、ペルー人でも日本人でもあるので、カルロスを残すことにした。ところが、就職活動のときだ。電話で面接の日を予約、最後に名前を聞かれた。

「屋比久カルロスです」と答えた。すると、「ああ、もういっぱいになりましたので」と断られた。

「多分、苗字の屋比久は当て字で、名前がカルロスだから外国人と思われたんですね。ショックでした。こういうので差別されるんだと思って、名前を変えようかと真剣に考えた時期もあったのです」

もともと、カルロスはアメリカやメキシコなど海外で仕事がしたかった。また、付き合っていた彼女もこう言ってくれた。

「どこでもついて行くよ」

だったらと、いろいろな会社を次々に受けて最終面接にまでいった会社もあった。すると彼女はこう言った。

「やっぱり、いやだ」

「どこでもついて行くって言ったじゃない（笑）」

就職先も決まらぬまま、カルロスは京都から沖縄に戻ってきた。沖縄市役所で臨時の仕事に入って、そのまま正職員に。次にＪＩＣＡ沖縄国際センターに移り、十二、三年ほど勤務していた。その後、一年間同センターの職業訓練学校に通って、二〇一六年からＫＩＰに勤めていた。いまは、独立して任意団体「グローバルコミュニティ」の活動を行っている。

「どこでもついて行くとか、やっぱりいやだとか言っていた彼女が僕の嫁の千絵美です。サラマンカ大学で知り合ったんです」

千絵美は、沖縄国際大学で英語を専攻、卒業後に沖縄県国際交流・人材育成財団から派遣されてサラマンカ大学でスペイン語の勉強をしていた。当時、日本人留学生は、カルロスと千絵美だ

サラマンカ大学時代。前列がカルロスの妻となる千絵美、アメリカ人（左）とカナダ人（右）のクラスメート、先生（左2人目）とカルロス

けだった。

「聞いたら、沖縄市の出身で、しかもペルー生まれで十二歳まで港町のCallao（カジャオ）に住んでいたと言うじゃないですか。もう赤い糸かなと（笑）」

二人が結婚したのは十二年前。現在、子どもは十一歳と六歳の二人。千絵美は、嘉手納基地内にあるウエストパックホテルで客室清掃のスーパーバイザーをしている。

いま、カルロス一家は沖縄市に居を構えている。彼女の実家が学校の近くにあるので、子どもたちは授業が終わって両親が迎えに行くまでの間、実家で預かってもらっている。カルロスの父親は他界し、母親は一人住まい。週末は、孫の顔が見たいということで、カルロスの母親の家で過ごしている。

「親がいるので、私たちは安心して仕事できるのです」

子どもたちよ、もっと自信を持って

カルロスは、ＫＩＰのセンター長を約五年間務めていた。その間、日系三世として気になっていることがあった。

「親の出身国や言語や文化を恥ずかしいと思っている子どもが結構いるんです。だけど、それを劣等感ではなく、誇りに思ってほしいのです。例えば、ウチの親は二カ国語を話せてカッコイイとか、私は両方の国の文化を持っているんだ、と言えるようになってほしいのです」

こうした思いから、「Ｔ(手)の遺伝子」を企画・制作した。ラテンミュージックからヒップホップ、沖縄を代表するエイサーや空手をチャンプルーした音楽劇だ。参加するのは、在沖外国人や日系人、地元の子どもたちで、多くは親の離婚や不登校など、さまざまな問題を抱えていた。

いざ、この劇の練習がはじまると、「もう帰りたい」と言う子どもがでてきた。ところが練習を重ねるごとに、何かが吹っ切れたように積極的になって、ついには「私もセリフがほしい」と言い出すまでになっていた。

「私を見てよ、カッコいいでしょ、と言わんばかりなんですね。おそらく、この子たちは鬱積している感情や、訴えたいことが人一倍強いのだと思います」

カルロスは、こうした子どもたちの成長過程を見て、もっと多くの子どもたちに伝えなければいけない、と第二弾となる「T（てぃ）のシンカ」の制作に取りかかった。シンカ＝進化。では、何を進化させたいか、何を新たな挑戦としたいのか。

カルロスは言う。

「肌の色、国籍、外見やハンディキャップで人を差別してはいけない。ハンディキャップのある子どもも、他の子どもたちと一緒につくりあげる作品にしたい。挑戦して、それを成し遂げることで自信がつきます。そのときにはじめて自分を受け入れることができるのではないでしょうか。『グローバルコミュニティ』の目標の一つは、子どもたちに自信をつけてもらうことです」

この音楽劇は、空手とカホンとエイサーを融合したパフォーマンスである。実際に、カホンを演奏している子どもに軽度のダウン症の子がいる。だが、彼女が中心になって皆を引っ張っている。さらに、彼女が他のダウン症の子どもに教えるという役目も担っている。

「上の子が下の子を育てていく。『グローバルコミュニティ』は、この仕組みを取っています。そうすると、皆すごく頑張るんです。楽しいと言っています」

二〇二一年八月には、子どもたち三十人を連れて台湾で上演することが決まっていた。公益財団法人の三井住友海上文化財団から五十万円の助成金を採択されたのだ。それでも、資金は十分ではないので、県や市にも申請していた。ところが、コロナの影響で台湾へ入国ができず、来年度に持ち越された。

「将来は、『T(てぃ)のシンカ』の振り付けを、県外や海外の日系社会に送って、覚えてもらい、沖縄に来たときに全員で踊れたらいいなと考えています」

カルロスは、特定非営利活動法人・沖縄NGOセンターのスタッフでもある。今後、このNGOセンターと一緒に活動できるように、「グローバルコミュニティ」は任意団体でなく、法人格を目指していく予定だ。

「まだ、はじまったばかりの旅路。シンカ(仲間)とともにさらなる進化を楽しみたい」

後日、カルロスから連絡があった。

現在、彼は那覇の専門学校で中国語を勉強している。また、空手ガイドの養成研修に合格して空手の歴史と文化についても学んでいる。

もう一つ、東京オリンピックで沖縄勢初の金メダルを獲得した空手家の喜友名諒は、カルロスの息子たちの師匠。八月九日の夜に凱旋し、那覇空港に戻るやいなや子どもたちへ金メダルを見せに来ていた。金メダルは想像以上に重くて輝いていた。

「いま、次男坊は、喜友名師匠に刺激を受けて、空手全国大会に向けて日々練習に励んでいます」

取材を終えて

二〇一九年十月、最初の取材先は、浦添市にある「カミニート」の諸見里登代子だった。取材という堅苦しいものでなく、「カミニート」自慢のエンパナーダをいただきながら、ゆんたく（おしゃべり）するようにはじまった。そんなリラックスしたインタビューだったが、彼女が語った半生は本書でまとめたように衝撃的なものだった。来店客のために話を中断しなければならず、「後日あらためて続きを聞かせてください」と、お願いしてこの日の取材を終えた。

ところが数カ月後、新型コロナウイルスが発生した。そもそも、私が在住しているのは横浜。従来の仕事をこなしながら、時間を見つけては沖縄に通い、取材を続けていくつもりだった。

そのうち、緊急事態宣言も発令され、「本土から来ました、取材させてください」とはとても言い出せなくなってしまった。それでも一回目の緊急事態宣言が解除されるや、電話やメールで取材依頼を開始した。当初一時間三十分ほどの取材時間をもらっていたが、実際話がはじまると、時間はいくらあっても足りなかった。

結局、一回の取材だけで終わらず、二回、さらには電話やメールなどでも追加取材を行った。

また、貴重な昔の写真も貸していただいた。多くの写真は、アルバムから引き剥がしたあとが残っていた。「サルサ」のパトリシアは、自身が紹介された何枚もの新聞の切り抜き記事も見せてくれた。

そうしたわけで、脱稿するまで二年もの歳月を費やしてしまった。

十一名の方々の取材を終えて、皆に共通するいくつかのキーワードをあげることができた。「家族」「アイデンティティー」「自己主張」「働き者」「生活力」など。そのなかでも、私がもっとも感動したのは、家族のつながり、団結の強さだ。皆、仲がいい。親兄弟や連れ合いへの思いやり、情が深い。

「ティティカカ」のジョバナは、破天荒でちょっと頼りない父親を、愛情深く受け止めている。母親に対しても、兄と自分がペルー国籍であるため留学できなかったことで、母が嘆くことを気遣って悩む。妹がいじめにあったことで、兄は自分が守れなかったと嘆く。レストランを開業するときは親戚一同が応援に駆けつけていた。

「カミニート」の開業時でも、登代子の兄弟たちは手助けに来ていた。「ブラジル食堂」の山下一家や、屋比久一家が来沖した際には、一時的とはいえ親類のアパートに住んでいた。

移民関係の専門書や文献でも、日本人移民のなかで、沖縄県出身者は他府県に比べて親族のつながり、血縁関係を重視していると述べている。こうした親族の協力があって、皆、レストラン経営を成功に導いているのであろう。

しかし、日系一世の方たちは、移民先で現地の人たちとの交わりが少なく、二世である子どもたちの結婚となると、まったく拒絶していた。ジョバナの親戚は「沖縄の血を汚すな」と。ミリアンもアルゼンチン人の彼氏がいることで、祖母や母親と揉めた。山下家の父親も、哲子の彼氏がブラジル人だったことで帰国を決意している。このように、異国の地にいながらあまりに閉鎖的な考えだったことに驚く。

それは、地縁、血縁関係を重視する文化の裏返しではないか、と私は思う。

また、ジョバナは、「沖縄の人たちは寄り集まっていて、日系人を先に雇っていた。現地の人は信用できないということだった」と述べていたように、真面目で働き者の日系人にとって、現地の人たちは怠け者で信頼できないとの思いがあったようだ。私は、かなり前になるが、ある日系一世の方が、日本へ帰国したときに、同様の話を聞いたことがある。だが、現地の人からすると、日系人は入植者だ。その現地の文化や歴史の理解、さらにはコミュニケーション不足といった面もあったのではないだろうか、という思いが私にはある。

もう一つ、方言を話す沖縄県出身者は、日系人から差別を受けていたようだ。「ブラジル食堂」の山下明生は、父親が日本人学校の教師になれたのは「山下という姓で、本土の人と思われたから」と述べていた。松林要樹監督の映画「オキナワ　サントス」でも沖縄人は差別されていたとブラジル・サントスの沖縄県人会の人が語っていた。こうした体験から、移民一世の人たちは仲間意識が強くなり、閉鎖的になっていったのだろう。

だが、二世、三世は、まったく違う。それぞれ生まれ育った国の国籍を持ち、スペイン語、あるいはポルトガル語が第一言語となった。当然、性格も一世とは違う。そんな彼・彼女たちは、日本人の顔をしているが、奇異の眼で見られ、なかなか沖縄を受け入れられなかった。ジョバナや哲子は、大学へ行くまで居心地の悪さを感じていたという。生まれ育った国では日本人と見られ、沖縄にきたら外国人と言われ「アイデンティティー」に悩んでいた。

しかし、皆、自分の道を切り拓こうと挑戦している。パトリシアもカルロスも浦崎涼子も弁論大会で自分の考えを発表した。哲子は生徒会長に立候補までしていた。パトリシアは、高校でも職場でも「はい、私やります」と率先して手を挙げていた。登代子は、会社で理不尽なことを言われるたびに、上司に抗議していた。こうした積極性や自己主張は、やはり南米育ちだからであろう。

ただ、パトリシアも哲子も「その頃は、分からなかった。いまは恥ずかしくてできない」と言っていた。「若かったから」とも言っていたが、「KY＝空気を読めない」という日本の同調思考に気づいてしまったのではないか。そうだとすると、少々残念な気がする。

もう一つ、皆「働き者」だ。哲子は「どこに行くにも妹や弟の三名。Little Mamaですよ。ブラジルでは、子どもでも働くのは当たり前」と。ジョバナの父親は、建築士でありながら、日本の資格を持っていなかったという理由もあるが、仕事を選ばず、どんな仕事にもついている。母親も同じだ。また、ミリアンの母親は、娘のお産ではじめて来沖して、ミリアンの産休期間に代わりとして食品加工の会社で働いた。松尾夫妻も宇奈月ホテルでも沖縄に来ても夫婦で当たり前のように働いている。どんなところに行っても生きていける生活力、バイタリティーがあって実に逞しい。

三世の松尾ユキは、常に海外に目を向けて、世界旅行に出かけ、カフェもオープンした。涼子も同様、カフェ開業を夢見て確実に実現した。皆の行動力に脱帽だ。

取材の終了後、それぞれが笑顔で語っていた。

「いろいろあったけれど沖縄に来て本当よかった。でも、育った国も大好き。国籍なんかどっちでもいいんです」

さまざまな体験を通して得た正直な言葉だと思う。

本書に登場する人たちは、移住地で成功して沖縄に帰還することができた家族だ。しかし、南米からデカセギとして帰還し、いまだ苦労をしている人々が大勢いるのも現実だ。このことを忘れてはいけないと思う。


最後に、多忙のなかで取材に協力、さらに貴重な昔の写真も提供していただいた皆に心よりお礼申しあげます。私も元気をもらいました。同時に、皆のことがとても好きになりました。

そして、出版を快く引き受けてくださったボーダーインクの方々、つたない文章を読んでいただき適切な指摘をくださった喜納えりか氏、インパクトのある表紙をデザインしてくださった桑村ヒロシ氏に心よりお礼申しあげます。本当にありがとうございました。

二〇二一年十一月
沖縄の青い空を思い浮かべながら、秋が深まりつつある横浜にて
漢那　朝子

参考書籍

『沖縄県史（各論編5）近代』沖縄県教育委員会　２０１１年
『沖縄県史　第7巻　各論編6　移民』沖縄県教育委員会　１９７４年
福井千鶴『南米日系人と多文化共生』沖縄観光速報社　２０１０年
外間守善『沖縄の歴史と文化』中公新書　１９８６年
永井裕『飽くなき挑戦者 村永義男』日経事業出版センター　２００２年
安藤由美・鈴木規之・野入直美編『沖縄社会と日系人・外国人・アメラジアン』クバプロ　２００７年
石田甚太郎『アンデスの彼方の沖縄と日本　ボリビア移民聞書』現代企画室　１９８６年
国立国語研究所資料集5『沖縄語辞典』財務省印刷局　２００１年
内間直仁・野原三義『沖縄語辞典』研究社　２００６年

参考論文・資料

石川友紀「沖縄県における出移民の歴史及び出移民要因論」 2005―3
石川友紀「南米における沖縄県出身移民に関する地理学的研究」 2003―01
石川友紀「戦後沖縄県における海外移民の歴史と実態」 2010―03
宇佐美耕一「アルゼンチンにおける失業者の社会運動」ラテンアメリカ・レポート25巻1号 2008―05
島袋伸三・米盛徳市「ブラジルにおける沖縄県出身移民の職業変遷 ―農業を中心に―」 1982―03
田島泰弘「鹿児島大学教育学部研究紀要人文科学編」第48巻「奄美とブラジル」 1997年
「沖縄県の国際交流資料編」沖縄県文化観光スポーツ部交流推進課 2020年

漢那 朝子（かんな　ともこ）

1948年生まれ。女子美術短期大学卒業後、デザイン会社勤務。ベネズエラ人現代彫刻家と結婚。1973年ベネズエラに渡る。78〜79年ベネズエラ・アラグア州立美術学校で講師を勤める。83年帰国後に離婚。85年編集プロダクションにて雑誌・PR誌の制作に携わる。96〜2017年広告制作会社で編集・ライティングを担当。現在はフリーのエディター・ライターとして活動。海外取材（主にスペイン語圏）や財界人の取材・執筆が多い。著書『ミ・ファミリア』（諏訪書房 2010年）『ベネズエラへふたたび』（諏訪書房2013年）。日本ベネズエラ協会会員。

南米レストランの料理人

海を越えて沖縄へ 日系家族のかたいつながり

2021年12月25日　初版第一刷発行

著　者　漢那　朝子
発行者　池宮　紀子
発行所　（有）ボーダーインク
〒902-0076
沖縄県那覇市与儀226-3
tel.098（835）2777
fax.098（835）2840
印刷所　でいご印刷
ISBN978-4-89982-417-6